Thomas J. Braga

LES INTERMITTENCES
DE LA MORT

JOSÉ SARAMAGO

LES INTERMITTENCES
DE LA MORT

TRADUIT DU PORTUGAIS
PAR GENEVIÈVE LEIBRICH

ÉDITIONS DU SEUIL
27, rue Jacob, Paris VIe

Titre original : *As Intermitências da Morte*
Éditeur original : Editorial Caminho, SA, Lisboa
© José Saramago & Editorial Caminho, SA, Lisboa, 2005
ISBN original : 972-21-1738-6

ISBN 978-2-02-086399-5

Les droits français ont été négociés par la Literarische Agentur Mertin,
Francfort-sur-le-Main, Allemagne

© Éditions du Seuil, janvier 2008, pour la traduction française

www.seuil.com

À Pilar, ma maison

Nous saurons chaque fois moins ce qu'est un être humain.

LIVRE DES PRÉVISIONS

Pense, par exemple, davantage à la mort – et il serait étrange en vérité que tu n'aies pas accès ce faisant à de nouvelles représentations, à de nouveaux domaines du langage.

WITTGENSTEIN

Le lendemain, personne ne mourut. Ce fait, totalement contraire aux règles de la vie, causa dans les esprits un trouble considérable, à tous égards justifié, il suffira de rappeler que dans les quarante volumes de l'histoire universelle il n'est fait mention nulle part d'un pareil phénomène, pas même d'un cas unique à titre d'échantillon, qu'un jour entier se passe, avec chacune de ses généreuses vingt-quatre heures, diurnes et nocturnes, matutinales et vespérales, sans que ne se produise un décès dû à une maladie, à une chute mortelle, à un suicide mené à bonne fin, rien de rien, ce qui s'appelle rien. Pas même un de ces accidents d'automobile si fréquents les jours de fête, lorsqu'une irresponsabilité joyeuse et un excès d'alcool se défient mutuellement sur les routes pour décider qui réussira à arriver à la mort le premier. Le passage à une année nouvelle n'avait pas laissé dans son sillage l'habituelle traînée calamiteuse de trépas, comme si la vieille atropos à la denture dénudée avait décidé de rengainer ses ciseaux pendant une journée. Il y eut toutefois du sang, et pas qu'un peu. Effarés, perplexes, affolés, dominant à grand-peine leurs nausées, les pompiers dégagèrent de l'amalgame des débris de misérables corps humains qui, d'après la logique mathématique des collisions, auraient dû être morts et bien morts, mais qui, en dépit de la gravité des blessures et des traumatismes subis, étaient toujours vivants et donc transportés vers les hôpitaux au son déchirant des sirènes des ambulances. Aucun de ces blessés ne mourrait en chemin et tous démentiraient les pronostics médicaux les plus pessimistes, Ce pauvre diable est irrécupérable, l'opérer serait une perte de temps, disait le chirurgien à l'infirmière pendant que celle-ci lui ajustait un masque sur le visage. En réalité, peut-être le malheureux n'aurait-il pas pu être sauvé la veille, mais il était clair que la victime se refusait à trépasser aujourd'hui. Et ce qui se passait ici se passait dans l'ensemble du pays. Jusqu'à minuit très exactement du dernier jour de l'année, des gens acceptèrent encore de mourir dans le plus fidèle respect des règles, tant celles se rapportant au fond de la question, c'est-à-dire à la fin de la vie, que celles concernant les multiples modalités que revêt habituellement le fameux fond de la question avec plus ou moins de pompe et de solennité quand survient le moment fatal. Un cas intéressant par-dessus tous les autres, évidemment en raison de la personne en cause, fut celui de la très vieille et très vénérable reine mère. À vingt-trois heures cinquante-neuf minutes de ce trente et un décembre, personne n'aurait eu la naïveté de parier une allumette usée sur la vie de la royale dame. Ayant abandonné tout espoir, les médecins s'étant rendus à l'évidence inexorable, la famille royale, disposée hiérarchiquement autour du lit, attendait avec résignation le dernier soupir de la matriarche, quelques mots brefs peut-être, une ultime sentence édifiante destinée à la formation morale des princes, ses petits-enfants bien-aimés, une jolie phrase bien tournée peut-être, à l'intention de la mémoire immanquablement ingrate de ses futurs sujets. Puis, comme si le temps s'était arrêté, il ne se passa rien. L'état de la reine mère ne s'améliora ni n'empira, il resta comme en suspens, le corps frêle oscillant à l'orée de la vie, menaçant à chaque instant de tomber de l'autre côté, mais rattaché à celui-ci par un fil ténu que la mort, car ce ne pouvait être qu'elle, continuait à retenir, par un étrange caprice. L'on était déjà passé à la journée suivante et ce jour-là, comme cela fut annoncé dès le commencement de ce récit, personne ne mourrait.

L'après-midi était déjà fort avancée quand commença à courir le bruit que depuis le début de l'an neuf, plus précisément depuis zéro heure de ce mois de janvier où nous nous trouvons, pas un seul décès n'avait été enregistré dans l'ensemble du pays. L'on pourrait penser, par exemple, que ce bruit tirait son origine de la réticence surprenante de la reine mère à renoncer au peu de vie qui lui restait encore, mais la vérité est que l'habituel bulletin médical distribué aux médias par le service de presse du palais non seulement certifiait que l'état général de la royale malade s'était visiblement amélioré pendant la nuit, mais encore suggérait, mais encore donnait à entendre, dans des mots soigneusement choisis, qu'un rétablissement complet de cette très auguste santé n'était pas impossible. Dans sa première manifestation, la rumeur aurait très bien pu émaner le plus naturellement du monde d'un établissement de pompes funèbres, Visiblement, personne ne semble disposé à mourir le premier jour de l'an, ou d'un hôpital, Le type dans le lit vingt-sept fait du surplace, ou du porte-parole de la police de la route, C'est un vrai mystère qu'avec tous ces accidents de la route il n'y ait pas au moins un mort pour servir d'exemple. La rumeur, dont la source première ne fut jamais découverte, sans que cela ait d'ailleurs une importance majeure à la lumière des incidents ultérieurs, ne tarda pas à parvenir à la presse, à la radio, à la télévision, et elle fit aussitôt dresser l'oreille des directeurs, de leurs adjoints et de leurs rédacteurs en chef, tous non seulement entraînés à flairer de loin les grands événements de l'histoire du monde, mais aussi à les enfler chaque fois que cela leur convenait. En quelques minutes, des dizaines de reporters d'investigation étaient dans la rue, questionnant le premier venu, pendant que dans les rédactions en ébullition les téléphones s'agitaient et vibraient d'une même frénésie investigatrice. Ils appelèrent les hôpitaux, la croix-rouge, la morgue, les pompes funèbres, les polices, toutes autant qu'elles étaient, à l'exclusion compréhensible de la police secrète, mais les réponses étaient données dans les mêmes mots laconiques, Il n'y a pas de morts. Une jeune reporter de la télévision aurait plus de chance. Un passant, regardant tour à tour la journaliste et la caméra, lui raconta un cas vécu personnellement et qui était la réplique exacte de l'histoire de la reine mère déjà racontée, Minuit était justement en train de sonner, dit-il, quand mon grand-père qui semblait vraiment sur le point de décéder, ouvrit soudain les yeux avant que le dernier coup ne sonne à l'horloge de la tour, comme s'il s'était repenti du pas qu'il allait franchir, et il ne mourut pas. La reporter fut si excitée par ce qu'elle venait d'entendre que, sans prêter attention aux protestations et aux supplications, Oh, madame, s'il vous plaît, je ne peux pas, il faut que j'aille à la pharmacie, mon grand-père attend son remède, elle poussa l'homme dans la voiture de reportage, Allez, venez avec moi, votre grand-père n'a plus besoin de remède, cria-t-elle, et elle ordonna aussitôt au chauffeur de les conduire dare-dare au studio de télévision, où au même instant on préparait tout pour un débat entre trois spécialistes ès phénomènes paranormaux, à savoir deux sorciers réputés et une voyante célèbre, convoqués de toute urgence pour disserter et donner leur opinion sur ce que déjà certains plaisantins, ces personnes qui ne respectent rien, commençaient à appeler la grève de la mort. La reporter crédule était dans l'erreur la plus grave, car elle avait interprété les paroles de sa source d'information comme signifiant que le moribond s'était littéralement repenti du pas qu'il allait franchir, c'est-à-dire mourir, trépasser, passer l'arme à gauche, et que par conséquent il avait décidé de faire marche arrière. Or

16

les mots prononcés effectivement par le petit-fils heureux, Comme s'il s'était repenti, étaient radicalement différents d'un péremptoire, Il s'est repenti. Quelques notions de syntaxe élémentaire et une plus grande familiarité avec la subtilité des temps des verbes auraient évité le quiproquo et la réprimande subséquente dont la pauvre jouvencelle, écarlate de honte et d'humiliation, fut gratifiée par son supérieur immédiat. Cependant, ni lui ni elle ne pouvaient imaginer que cette phrase, répétée en direct par l'interviewé et de nouveau reprise sous forme enregistrée dans le journal télévisé du soir, serait comprise de la même façon erronée par des millions de personnes, avec pour conséquence déconcertante la constitution dans un avenir très proche d'un mouvement de citoyens fermement convaincus qu'il sera possible de vaincre la mort par la seule action de la volonté et que, par conséquent, la disparition imméritée de tant de gens dans le passé était uniquement due à une répréhensible faiblesse de la volition de la part des générations antérieures. Mais les choses n'en restèrent pas là. Puisque les humains, sans avoir à faire pour cela le moindre effort perceptible, continueraient à ne pas mourir, un autre mouvement populaire massif, doté d'une vision prospective plus ambitieuse, proclamerait que le plus grand rêve de l'humanité depuis le commencement des temps, à savoir la jouissance heureuse d'une vie éternelle ici-bas sur la terre, s'était transformé en un bien commun à tous, comme le soleil qui se lève tous les jours et l'air que nous respirons. En dépit du fait qu'ils se disputaient, pour ainsi dire, le même électorat, il y eut un point sur lequel les deux mouvements surent se mettre d'accord et ce fut de nommer président honoraire, vu son éminente qualité de précurseur, le courageux vétéran qui, à l'instant suprême, avait défié et vaincu la mort. À ce que l'on sache, aucune importance particulière ne fut attribuée au fait que le papy se trouvait dans un état de coma profond et de toute évidence irréversible.

Bien que le mot crise ne soit sûrement pas le plus approprié pour caractériser les événements fort singuliers que nous relatons, car il serait absurde, incongru et attentatoire à la logique la plus ordinaire que de parler de crise dans une situation existentielle justement privilégiée par l'absence de la mort, l'on comprendra que certains citoyens, jaloux de leur droit à une information véridique, se soient mis à se demander à eux-mêmes et les uns aux autres que diable fabriquait donc le gouvernement qui jusqu'à présent n'avait pas donné le moindre signe de vie. Certes, le ministre de la santé, interpellé au passage pendant un bref intervalle entre deux réunions, avait expliqué aux journalistes qu'étant donné l'absence d'éléments de jugement suffisants, toute déclaration officielle serait forcément prématurée, Nous sommes en train d'analyser les informations qui nous parviennent de tout le pays, ajouta-t-il, et c'est vrai, aucune ne fait mention de décès, mais il est facile d'imaginer que, pris au dépourvu comme tout le monde, nous ne soyons pas encore prêts à émettre une première idée sur les origines du phénomène et sur ses implications immédiates et futures. Il aurait pu s'en tenir là, ce qui, eu égard aux difficultés de la situation, serait déjà une raison de lui être reconnaissant, mais l'impulsion bien connue de recommander aux gens à propos de tout et de rien de garder leur calme, de les claquemurer tranquillement et à tout prix au bercail, ce tropisme qui, chez les hommes politiques, surtout s'ils sont au gouvernement, est devenu une seconde nature, pour ne pas parler d'automatisme, de mouvement machinal, poussa le ministre de la santé à terminer la conversation de la pire façon, En tant que responsable du portefeuille de la santé, je puis assurer tous ceux qui m'écoutent qu'il n'y a aucune raison de s'alarmer, Si j'ai bien compris ce que je viens d'entendre, monsieur le ministre, déclara un journaliste d'un ton qui ne voulait pas paraître trop ironique, vous estimez que le fait que personne ne meure n'est pas alarmant, Exactement, c'est précisément ce que je viens de dire, encore qu'en d'autres termes, Monsieur le ministre, permettez-moi de vous rappeler qu'hier encore des gens mouraient et il ne serait venu à l'esprit de personne de dire que c'était alarmant, Naturellement, mourir est normal, mourir ne devient alarmant que lorsque les morts se multiplient, comme dans une guerre, une épidémie, par exemple, C'est-à-dire quand elles sortent de la routine, On pourrait exprimer les choses ainsi, Mais maintenant que personne n'est disposé à mourir, vous nous demandez de ne pas nous alarmer, vous conviendrez avec moi que c'est pour le moins paradoxal, monsieur le ministre, C'est la force de l'habitude, je reconnais qu'en l'occurrence le mot alarmer n'aurait pas dû être employé, Alors quel autre mot utiliseriez-vous, monsieur le ministre, je vous pose la question car le journaliste conscient de ses responsabilités que je me targue d'être s'efforce toujours d'employer le terme exact quand c'est possible. Légèrement contrarié par cette insistance, le ministre répondit sèchement, Pas un, mais six, Lesquels, monsieur le ministre, Ne nourrissons pas de faux espoirs. Ç'aurait été, assurément, une bonne et honnête manchette pour le journal du lendemain, mais le directeur, après avoir consulté son rédacteur en chef, jugea peu souhaitable, également d'un point de vue commercial, de jeter ce seau d'eau glacée sur l'enthousiasme populaire, Reprenez le titre habituel, À Année Nouvelle, Vie Nouvelle, dit-il.

Dans le communiqué officiel, diffusé finalement alors que la nuit était déjà très avancée, le chef du gouvernement confirmait qu'aucun décès n'avait été enregistré dans l'ensemble du pays depuis le début de l'année nouvelle, il recommandait la modération et un sens de la responsabilité dans les évaluations et interprétations de ce fait étrange, il rappelait que l'hypothèse

d'une circonstance fortuite n'était pas à exclure, une altéra-
tion cosmique purement accidentelle et sans lendemain, une
conjonction exceptionnelle de coïncidences qui se seraient
introduites dans l'équation espace-temps, mais que, par précau-
tion, des contacts exploratoires avaient déjà été pris avec les
organisations internationales compétentes afin d'habiliter le
gouvernement à lancer une action qui serait d'autant plus efficace qu'elle serait plus concertée. Ayant énoncé ces inanités
pseudo-scientifiques, destinées elles aussi à calmer par leur
nature incompréhensible l'agitation qui régnait dans le pays, le
premier ministre terminait en affirmant que le gouvernement
était prêt à toutes les éventualités humainement concevables et
résolu à affronter avec courage et avec l'appui indispensable de
la population les épineux problèmes sociaux, économiques,
politiques et moraux que l'extinction définitive de la mort sus-
citerait inévitablement au cas où, comme tout semblait le laissait prévoir, elle se confirmerait. Nous accepterons le défi de
l'immortalité du corps, s'exclama-t-il avec emportement, si
telle est la volonté de dieu, que nous remercierons à tout jamais
avec nos prières d'avoir choisi le bon peuple de ce pays pour en
faire son instrument. Ce qui signifie, pensa le chef du gouvernement en terminant sa lecture, que nous voilà fourrés jusqu'au
trognon dans un sacré pétrin. Il ne pouvait imaginer à quel
point celui-ci allait l'étouffer. Une demi-heure ne s'était pas
encore écoulée quand dans l'automobile officielle qui le rame-
nait chez lui il reçut un appel du cardinal, Bonsoir, monsieur le
premier ministre, Bonsoir, votre éminence, Je vous téléphone
pour vous dire que je me sens profondément choqué, Moi
aussi, votre éminence, la situation est fort grave, la plus grave
que le pays ait jamais eu à vivre, Il ne s'agit pas de cela, De
quoi s'agit-il alors, votre éminence, Il est à tous égards déplorable qu'en rédigeant la déclaration que je viens d'entendre,
monsieur le premier ministre, vous ne vous soyez pas souvenu

de ce qui constitue le soubassement, la poutre maîtresse, la pierre angulaire, la clef de voûte de notre sainte religion, Pardonnez-moi, votre éminence, mais je crains de ne pas comprendre où vous voulez en venir, Sans mort, écoutez-moi bien, monsieur le premier ministre, sans mort il n'y a pas de résurrection, et sans résurrection il n'y a pas d'église, Diable, Je n'ai pas entendu ce que vous venez de dire, veuillez répéter, Je me taisais, votre éminence, il s'agit sans doute d'une interférence causée par l'électricité atmosphérique, statique, ou même d'un problème de couverture, le satellite a parfois des ratés, votre éminence disait, Je disais ce que tout catholique, et vous n'êtes pas une exception, a l'obligation de savoir, et c'est que sans résurrection il n'y a point d'église, d'ailleurs comment vous est-il venu à l'esprit que dieu pourrait vouloir sa propre fin, affirmer cela est une idée absolument sacrilège, peut-être le pire des blasphèmes, Votre éminence, je n'ai pas dit que dieu voulait sa propre fin, Effectivement, vous ne l'avez pas dit en ces termes précis, mais vous avez admis la possibilité que l'immortalité du corps résulte de la volonté de dieu, point n'est besoin de posséder un doctorat en logique transcendantale pour comprendre que celui qui dit une chose dit l'autre, Votre éminence, je vous en prie, croyez-moi, ce fut une simple phrase à effet destinée à frapper les esprits, la conclusion d'un discours, rien de plus, vous savez bien que la politique oblige à ce genre de formules, L'église aussi, monsieur le premier ministre, mais nous autres, nous réfléchissons longuement avant d'ouvrir la bouche, nous ne parlons pas pour le plaisir de parler, nous calculons les effets à distance, notre spécialité, si vous voulez que je vous donne une image pour illustrer ma pensée, c'est la balistique, Je suis désolé, votre éminence, Je le serais aussi, si j'étais à votre place. Comme s'il évaluait le temps que mettrait la grenade à retomber, le cardinal fit une pause, puis, d'un ton plus suave, plus cordial, il poursuivit, J'aimerais savoir, monsieur le premier ministre, si vous avez porté la déclaration à la connaissance de sa majesté avant d'en donner lecture aux médias, Naturellement, votre éminence, dès lors qu'il s'agissait d'un sujet aussi délicat, Et qu'a dit le roi, si ce n'est pas un secret d'état, Il l'a trouvée bien, A-t-il fait un commentaire quand vous avez terminé la lecture, Sensationnel, Sensationnel, quoi, C'est ce que sa majesté m'a dit, sensationnel, Ce qui veut dire qu'elle aussi a blasphémé, Je ne suis pas compétent pour formuler des jugements de cet ordre, votre éminence, vivre avec mes propres erreurs me donne déjà suffisamment de fil à retordre comme ça, Il faudra que je parle au roi, que je lui rappelle que dans une situation aussi confuse et délicate seule l'observance fidèle et indéfectible de la doctrine avérée de notre sainte mère l'église pourra sauver le pays du chaos effroyable qui va nous tomber dessus, Votre éminence décidera, c'est son rôle, Je demanderai à sa majesté ce qu'elle préfère, voir la reine mère à tout jamais agonisante, prostrée dans un lit d'où elle ne se relèvera plus, le corps immonde retenant l'âme de façon indigne, ou la voir triompher de la mort en mourant dans la gloire éternelle et resplendissante des cieux, Personne n'hésiterait dans sa réponse, Oui, mais contrairement à ce que l'on pense, les réponses qui m'importent ne sont pas tellement nombreuses, monsieur le premier ministre, or les questions, je parle évidemment des nôtres, voyez comme d'habitude elles ont parallèlement un objectif visible et une intention sous-jacente, si nous les posons, ce n'est pas seulement pour qu'on nous réponde ce qu'en cet instant nous avons besoin que les interpellés entendent sortir de leur propre bouche, c'est aussi pour préparer la voie aux futures réponses, Plus ou moins comme en politique, votre éminence, C'est vrai, mais l'avantage de l'église c'est que, parfois, contrairement aux apparences, elle gère les affaires d'en haut, mais c'est le bas qui gouverne. Une nouvelle pause se produisit que le premier ministre interrompit, Je suis presque arrivé chez moi, votre éminence, mais si vous m'y autorisez j'aimerais encore vous poser une brève question, Dites, Que fera l'église si plus jamais personne ne meurt, Plus jamais c'est beaucoup trop long, même dans le cas de la mort, monsieur le premier ministre, Je crois que vous ne m'avez pas répondu, votre éminence, Je vous renvoie la question, que fera l'état si plus jamais personne ne meurt, L'état essaiera de survivre, encore que je doute beaucoup qu'il y réussisse, mais l'église, L'église, monsieur le premier ministre, a tellement pris l'habitude des réponses éternelles que je ne puis l'imaginer en train d'en donner d'autres, Même si la réalité les contredit, Depuis le début, nous n'avons fait que contredire la réalité et nous existons toujours, Que dira le pape, Si j'étais pape, que dieu me pardonne la sotte vanité de m'imaginer pape, j'ordonnerais la propagation immédiate d'une nouvelle thèse, celle de la mort différée, Sans autre explication, L'on n'a jamais demandé à l'église d'expliquer quoi que ce soit, outre la balistique notre spécialité c'est de neutraliser les esprits curieux par la foi, Bonne nuit, votre éminence, à demain, Si dieu le veut, monsieur le premier ministre, toujours si dieu le veut, Telles que les choses se présentent actuellement, il ne semble pas qu'il puisse l'éviter, N'oubliez pas, monsieur le premier ministre, que hors des frontières de notre pays l'on continue à mourir tout à fait normalement et c'est un bon signe, C'est une question de point de vue, votre éminence, peut-être qu'à l'étranger on nous considère comme une oasis, un jardin, un nouveau paradis, Ou un enfer, si les gens sont intelligents, Bonne nuit, votre éminence, je vous souhaite un sommeil paisible et réparateur, Bonne nuit, monsieur le premier ministre, si la mort décide de revenir cette nuit, j'espère qu'elle n'aura pas l'idée de vous choisir, Si la justice en ce bas monde n'est pas un vain mot, la reine mère devra partir avant moi, Je promets de ne pas vous

23

dénoncer demain au roi, Je vous en remercie infiniment, votre éminence, Bonne nuit, Bonne nuit.

Il était trois heures du matin lorsqu'il fallut emmener de toute urgence le cardinal à l'hôpital à cause d'une crise d'appendicite aiguë qui nécessita une intervention chirurgicale immédiate. Avant d'être aspiré par le tunnel de l'anesthésie, dans cet instant très bref qui précède la perte totale de la conscience, il pensa ce que tant d'autres ont pensé, qu'il pourrait mourir pendant l'opération, puis il se souvint que ce n'était plus possible et enfin, dans un dernier éclair de lucidité, son esprit fut encore traversé par l'idée que si malgré tout il mourait, cela signifierait que, paradoxalement, il aurait vaincu la mort. Emporté par une irrésistible soif de sacrifice, il allait implorer dieu de le tuer, mais il n'eut plus le temps d'ordonner les mots comme il convenait. L'anesthésie lui épargna le sacrilège suprême de vouloir transférer les pouvoirs de la mort à un dieu plus généralement connu comme donneur de vie.

Bien qu'elle eût été immédiatement ridiculisée par les journaux concurrents qui avaient réussi à arracher à l'inspiration de leurs principaux rédacteurs les titres les plus divers et les plus ronflants, les uns dramatiques, les autres lyriques et même parfois philosophiques ou mystiques quand ils n'étaient pas d'une naïveté touchante, comme dans le cas de ce quotidien populaire qui s'était contenté de demander Et Maintenant Qu'Allons-Nous Devenir, concluant la phrase par l'adjonction graphique d'un énorme point d'interrogation ostentatoire, la manchette déjà évoquée proclamant À Année Nouvelle, Vie Nouvelle, en dépit de sa banalité affligeante, arriva comme marée en carême pour certaines personnes qui, par tempérament naturel ou éducation acquise, préféraient avant tout la fermeté d'un optimisme plus ou moins pragmatique, même si elles avaient des raisons de soupçonner qu'il s'agissait d'une simple et peut-être fugace apparence. Ayant vécu jusqu'à ces jours de chaos dans ce qu'elles avaient imaginé être le meilleur de tous les mondes possibles et probables, elles découvraient avec délices que le meilleur, réellement le meilleur, n'était en train d'advenir que maintenant, qu'elles l'avaient là sur place, à la porte de chez elles, une vie unique et merveilleuse, sans la peur quotidienne des ciseaux grinçants de la parque, l'immortalité dans la patrie qui nous a vus naître, à l'abri des incommodités métaphysiques et gratuitement pour tous, sans une feuille de route à ouvrir à l'heure de la mort, toi tu vas au paradis, toi au purgatoire, toi en enfer, à cette croisée des chemins nos voies dans l'autre monde se séparaient naguère, chers compagnons de route dans cette vallée de larmes appelée terre. Cela dit, les journaux réticents ou ambigus, et avec eux les télévisions et les radios de même tendance, n'eurent pas le choix, ils ne purent que s'associer à la déferlante de la joie collective qui se répandait du nord au sud et de l'est à l'ouest, rafraîchissant les esprits pusillanimes et entraînant loin de la vue la longue ombre de thanatos. Avec le passage des jours, et constatant qu'effectivement personne ne mourait, les pessimistes et les sceptiques, au compte-gouttes et peu nombreux au début, puis en masse, se joignirent au mare magnum de citoyens qui profitaient de toutes les occasions pour sortir dans la rue et proclamer et crier qu'à présent, oui, la vie est belle.

Un jour, une dame en état de veuvage récent, ne trouvant pas d'autre façon de manifester la joie nouvelle qui lui inondait l'âme et encore qu'avec une légère douleur provenant de la conscience que si elle ne mourait pas elle ne verrait plus jamais son regretté mari, eut l'idée de suspendre le drapeau national au balcon fleuri de sa salle à manger donnant sur la rue. Se produisit alors ce qui s'appelle aussitôt dit, aussitôt fait. En moins de quarante-huit heures, le pavoisement gagna tout le pays, les couleurs et les symboles du drapeau conquirent le paysage, de manière plus visible dans les villes, pour la raison évidente que les fenêtres et les balcons y étaient plus nombreux qu'à la campagne. Impossible de résister à pareille ferveur patriotique, surtout parce que, venues on ne savait d'où, certaines déclarations inquiétantes, pour ne pas dire carrément menaçantes, avaient commencé à se répandre, comme, par exemple, Celui qui n'expose pas le drapeau immortel de la patrie à sa fenêtre ne mérite pas de rester vivant, Ceux qui ne brandissent pas bien haut le drapeau national sont des vendus à la mort, Rejoignez-nous, soyez patriote, achetez un drapeau, Achetez-en un autre, Achetez-en encore un autre, À bas les ennemis de la vie, ils ont de la chance que la mort n'existe plus. Les rues étaient un authentique champ de foire d'oriflammes déployées, battues par le vent lorsqu'il soufflait ou, quand ce n'était pas le cas, remplacé par un ventilateur électrique placé adéquatement, et si la puissance de l'appareil n'était pas suffisante pour que la bannière flotte virilement, l'obligeant à émettre ces claquements de fouet qui exaltent tellement les esprits martiaux, elle faisait au moins onduler honorablement les couleurs de la patrie. Quelques rares personnes murmuraient à voix basse que tout cela était exagéré, absurde, que tôt ou tard il faudrait enlever tout cet étalage d'étendards, et que le plus tôt serait le mieux, car tout comme trop de sucre dans le dessert émousse le palais et nuit au processus digestif, de même le respect normal et plus que juste des emblèmes patriotiques finira par se muer en turlupinade si l'on permet qu'il dégénère en véritables attentats à la pudeur, comme les exhibitionnistes en gabardine de mémoire exécrée. En outre, disaient-ils, si les drapeaux sont là pour célébrer le fait que la mort a cessé de tuer, alors de deux choses l'une, ou bien nous les retirons avant que les symboles de la patrie ne commencent à nous sortir par les yeux à force de satiété, ou bien nous allons passer le reste de notre vie, c'est-à-dire l'éternité, oui, nous avons bien dit l'éternité, à les changer chaque fois que la pluie les aura pourris, le vent mis en lambeaux ou le soleil décolorés. Ceux qui avaient le courage de mettre ainsi publiquement le doigt sur la plaie étaient fort peu nombreux. Un pauvre homme dut payer son défoulement antipatriotique d'une raclée qui, si elle n'acheva pas sur-le-champ sa misérable existence, ce fut seulement parce que la mort avait cessé d'opérer dans ce pays depuis le début de l'année.

Cependant, tout n'est pas que fête, car, à côté de ceux qui rient, il y aura toujours ceux qui pleurent, et parfois, comme en l'occurrence, pour les mêmes raisons. D'importants secteurs professionnels, gravement préoccupés par la situation, avaient déjà commencé à faire parvenir à qui de droit l'expression de leur mécontentement. Comme on pouvait s'y attendre, les premières réclamations officielles vinrent des entreprises du commerce funéraire. Brutalement privés de leur matière première, leurs propriétaires commencèrent par faire le geste classique consistant à se prendre la tête à deux mains, gémissant comme un chœur de pleureuses, Qu'allons-nous devenir à présent, mais ensuite, devant la perspective d'une faillite catastrophique qui n'épargnerait personne dans la corporation funéraire, ils convoquèrent une assemblée générale de leur branche, à la fin de laquelle, après des discussions enflammées, toutes improductives, parce que toutes sans exception se heurteraient tête la première au mur indestructible de l'absence de collaboration de la mort, cette mort à laquelle de père en fils ils s'étaient habitués comme à quelque chose leur étant naturellement dû, ils approuvèrent un document à soumettre à la considération du gouvernement de la nation, lequel document avait retenu la seule proposition constructive, oui, constructive, mais aussi hilarante, présentée dans le cadre du débat, On va se moquer de nous, avait averti le président de la réunion, mais je reconnais que nous n'avons pas d'autre issue, c'est soit ceci, soit la ruine du secteur. Le document signalait donc que, réunis en assemblée générale extraordinaire pour examiner la crise très grave dans laquelle ils se débattaient en raison de la pénurie de décès qui frappait tout le pays, après une analyse intense et participative au cours de laquelle avait toujours prévalu le respect des intérêts suprêmes de la nation, les représentants des pompes funèbres étaient parvenus à la conclusion qu'il était encore possible d'éviter les conséquences dramatiques de ce qui s'inscrirait sans le moindre doute dans l'histoire comme étant la pire calamité collective qui nous soit tombée dessus depuis la fondation de la nation, et ce serait que le gouvernement décide de rendre obligatoire l'enterrement ou l'incinération de tous les animaux domestiques qui décéderaient de mort naturelle ou accidentelle, et que ces enterrements ou incinérations, réglementés et approuvés, soient obligatoirement effectués par l'industrie funéraire, eu égard aux prestations méritoires fournies par icelle dans le passé en tant qu'authentique service public, au sens le plus profond du terme, génération après génération. Le document continuait, Nous attirons aussi l'attention du gouvernement sur le fait que la reconversion indispensable de notre industrie ne sera pas viable sans de substantiels investissements, car enterrer un être humain n'est pas la même chose que conduire à sa dernière demeure un chat ou un canari, sans parler d'un éléphant de cirque ou d'un crocodile de baignoire, il s'avérera donc nécessaire de reformuler de fond en comble notre savoir-faire traditionnel en nous servant, pour cette mise à jour indispensable, de l'appui providentiel fourni par l'expérience acquise depuis l'officialisation des cimetières pour animaux, bref, ce qui jusqu'à présent n'avait représenté qu'une intervention marginale pour notre industrie, encore que passablement lucrative, nous ne le nions pas, deviendrait une activité exclusive, évitant ainsi dans toute la mesure du possible la mise à pied de centaines, sinon de milliers de travailleurs dévoués et vaillants qui ont affronté courageusement tous les jours de leur vie l'image terrible de la mort et à qui cette même mort tourne aujourd'hui le dos sans qu'ils l'aient mérité, Après vous avoir exposé la situation, monsieur le premier ministre, et eu égard

29

à la protection méritée d'une profession qualifiée depuis des millénaires d'utilité publique, nous vous prions de bien vouloir prendre en considération non seulement l'urgence d'une décision favorable, mais aussi, parallèlement, l'ouverture d'une ligne de crédits bonifiés, ou alors, et cela serait de l'or sur du bleu, ou du doré sur du noir, qui sont nos couleurs, pour ne pas parler de la plus élémentaire justice, l'octroi de prêts à fonds perdus qui aideraient à mettre en œuvre la rapide revitalisation d'un secteur dont la survie se trouve en péril pour la première fois de l'histoire, ou même bien avant elle, à toutes les époques de la pré-histoire, car jamais un cadavre humain n'aura manqué de quelqu'un pour l'enterrer tôt ou tard, ou ne serait-ce que de la générosité de la terre s'ouvrant pour le recevoir. Nous vous prions respectueusement de bien vouloir prendre en considération notre requête.

Les directeurs et les administrateurs des hôpitaux, d'état ou privés, ne tardèrent pas eux non plus à aller frapper à la porte de leur ministère de tutelle, celui de la santé, pour exprimer auprès des services compétents leur inquiétude et leur angoisse, lesquelles, aussi étrange que cela paraisse, relevaient presque toujours de questions logistiques plutôt que proprement sanitaires. Ils affirmaient que l'actuel processus de roulement entre les malades admis, les malades guéris et les malades décédés avait subi pour ainsi dire un court-circuit ou, pour utiliser des termes moins techniques, un embouteillage comme dans le cas des automobiles, lequel trouvait sa cause dans la permanence indéfinie d'un nombre croissant d'hospitalisés qui, en raison de la gravité des maladies ou des accidents dont ils avaient été victimes, seraient déjà partis pour un autre monde en temps normal. La situation est difficile, argumentaient-ils, nous avons déjà commencé à parquer des malades dans les couloirs, en tout cas plus que nous ne le faisions habituellement, et tout semble indiquer que dans moins d'une semaine nous allons nous trouver confrontés non seulement à une pénurie de lits, mais aussi, du fait que couloirs et salles seront bondés, nous ne saurons pas où placer les lits encore disponibles à cause du manque d'espace et de la difficulté de manœuvre. Il est vrai qu'il y a une manière de résoudre le problème, concluaient les responsables hospitaliers, mais elle attenterait indirectement au serment d'hippocrate et la décision, si elle est prise, ne pourra être ni médicale ni administrative, mais politique. Comme à bon entendeur salut, le ministre de la santé, après avoir consulté le premier ministre, promulgua l'arrêté suivant, Considérant l'inéluctable prolifération des personnes hospitalisées qui commence déjà à nuire sérieusement au fonctionnement, excellent jusqu'à présent, de notre système hospitalier et qui est la conséquence directe du nombre croissant de malades hospitalisés en état de vie suspendue et qui demeureront dans cet état indéfiniment, sans la moindre chance d'une guérison ou d'une simple amélioration de leur état, tout au moins tant que la recherche médicale n'aura pas atteint les nouveaux objectifs qu'elle s'est fixés, le gouvernement conseille et recommande aux directions et administrations hospitalières, après une analyse rigoureuse, au cas par cas, de la situation clinique des patients, et après confirmation de l'irréversibilité des différents processus morbides, qu'ils soient livrés aux soins de leur famille, les établissements hospitaliers assumant la responsabilité d'assurer sans réserve aux malades tous les traitements et examens que leur médecin traitant habituel pourrait encore juger nécessaires ou simplement souhaitables. Cette décision du gouvernement repose sur une hypothèse que chacun pourra aisément admettre, à savoir que pour un patient dans un pareil état, constamment au bord d'un décès qui lui est dénié en permanence, le lieu où il se trouve, que ce soit au sein de sa famille affectueuse ou dans la salle encombrée d'un hôpital, lui sera presque totalement indifférent, même au cours d'un instant

31

de lucidité, dès lors que dans aucun de ces deux lieux il ne réussira à mourir, ni d'ailleurs à recouvrer la santé. Le gouvernement souhaite profiter de cette occasion pour informer la population que les travaux de recherche se poursuivent à un rythme accéléré et il espère et est persuadé que ceux-ci mèneront à une connaissance satisfaisante des causes jusqu'à présent mystérieuses de la disparition subite de la mort. Il signale également qu'une commission interdisciplinaire étoffée, comprenant des représentants des diverses religions pratiquées et des philosophes des différentes écoles de pensée en activité qui ont toujours leur mot à dire sur ce genre de sujets, est chargée de la tâche délicate de réfléchir à ce que sera un avenir sans mort et d'élaborer dans le même temps une prévision plausible des nouveaux problèmes que la société devra affronter, le principal pouvant être résumé dans cette cruelle interrogation, Que ferons-nous des vieillards, si la mort n'est plus là pour élaguer l'excès de leurs velléités séniles.

Les foyers pour le troisième et quatrième âge, ces institutions de bienfaisance créées pour la tranquillité des familles qui n'ont ni le temps ni la patience de nettoyer la morve, de s'occuper des sphincters fatigués et de se lever la nuit pour glisser un bassin sous le malade alité, n'ont pas tardé, à leur tour, comme l'ont déjà fait les hôpitaux et les établissements de pompes funèbres, à se frapper la tête contre le mur des lamentations. Pour rendre justice à qui de droit, il nous faut reconnaître que l'incertitude qui les divisait sur la question de savoir s'ils devaient continuer ou non à recevoir des hôtes était une des plus angoissantes pour les efforts d'équité et le talent de planification de n'importe quel gestionnaire de ressources humaines. Notamment parce que le résultat final, et c'est bien ce qui caractérise les dilemmes authentiques, serait toujours le même. Habitués jusqu'alors, tout comme leurs partenaires geignards, fournisseurs d'injections intraveineuses et de couronnes de fleurs avec ruban rouge, à la sécurité résultant de la rotation continuelle et inexorable des vies et des morts, les unes entrant, les autres sortant, les foyers du troisième et du quatrième âge refusaient même d'envisager un avenir de travail où les objets de leurs soins ne changeraient jamais de visage et de corps, sauf pour les exhiber encore plus lamentables au fil des jours, plus décadents, plus tristement décomposés, la face se ridant pli à pli, tel un raisin sec, les membres tremblants et hésitants, comme un bateau cherchant vainement sa boussole tombée par-dessus bord. Un nouvel hôte avait toujours été un motif de réjouissance pour les foyers du crépuscule heureux, il avait un nom qu'il fallait fixer dans la mémoire, des habitudes personnelles venues du monde extérieur, des manies n'appartenant qu'à lui, comme un certain fonctionnaire à la retraite qui devait nettoyer à fond tous les jours sa brosse à dents parce qu'il ne supportait pas d'y voir des restes de dentifrice, ou ce vieillard qui dessinait les arbres généalogiques de sa famille et qui ne retrouvait jamais les noms qu'il était censé suspendre aux branches. Pendant plusieurs semaines, jusqu'à ce que la routine nivelle l'attention due aux pensionnaires, il serait le nouveau, le benjamin du groupe, et il le serait pour la dernière fois de sa vie, même si elle devait durer aussi longtemps que l'éternité, celle-ci s'étant mise à briller comme on le dit du soleil pour tout un chacun dans ce pays chanceux, nous qui verrons s'éteindre l'astre du jour et qui continuerons à vivre, personne ne sait comment ni pourquoi. À présent, toutefois, le nouvel hôte, sauf s'il est venu occuper une place encore vacante et arrondir les revenus du foyer, est quelqu'un dont on connaît d'avance le destin, on ne le verra pas sortir d'ici pour aller mourir chez lui ou à l'hôpital comme c'était le cas dans le bon vieux temps, tandis que les autres pensionnaires fermaient précipitamment à clef la porte de leur chambre pour que la mort n'y entre pas et ne les emporte pas eux aussi. Nous savons désormais que tout cela fait partie d'un passé révolu, mais quelqu'un au gouvernement devra penser à notre sort, à nous autres patrons, gérants et employés des foyers du crépuscule heureux, le destin qui nous attend c'est de n'avoir personne pour nous accueillir lorsque viendra l'heure de baisser les bras, dites-vous bien que nous ne sommes même pas les maîtres de ce qui nous avait aussi appartenu d'une certaine façon, tout au moins à cause du travail que cela nous a donné pendant des années et des années. Ici l'on comprendra que ce sont les employés qui ont pris la parole. Ce que nous voulons dire, c'est qu'il n'y aura pas de place pour des gens comme nous dans les foyers du crépuscule heureux, sauf si nous mettons à la porte un certain nombre de pensionnaires. Le gouvernement avait déjà eu la même idée lors du débat sur le remplissage pléthorique des hôpitaux, que la famille assume donc de nouveau ses obligations, avait-on dit, mais pour ce faire il faudrait que s'y trouve encore quelqu'un avec suffisamment de jugeote dans la tête et d'énergie dans le reste du corps, qualités dont la durée de validité, comme nous le savons par notre expérience personnelle et par le panorama que nous offre le monde, n'est pas plus longue que le temps d'un soupir, en comparaison avec cette éternité inaugurée récemment. Le remède, sauf avis contraire plus autorisé, serait de multiplier les foyers du crépuscule heureux, pas comme jusqu'à présent en profitant de villas et de demeures qui ont connu naguère un sort meilleur, mais en construisant à partir de zéro de grands édifices, avec la forme d'un pentagone, par exemple, d'une tour de babel, d'un labyrinthe de cnossos, d'abord des quartiers, puis des villes, puis des métropoles, ou, pour user de vocables plus crus, des cimetières de vivants où la vieillesse fatale et inexorable serait soignée comme dieu le voudrait, jusqu'à on ne sait quand, car leurs jours n'auraient pas de fin. Le problème le plus épineux, et nous nous sentons obligés d'attirer sur lui l'attention de qui de droit, c'est que, avec le passage du temps, non seulement il y aura de plus en plus de pensionnaires âgés dans les foyers du crépuscule heureux, mais aussi il faudra de plus en plus de personnel pour s'en occuper, le résultat étant que le rhomboèdre des âges sera rapidement cul par-dessus tête, avec une masse gigantesque de vieillards au sommet, une masse toujours croissante, engloutissant comme un python les nouvelles générations, lesquelles, transformées à leur tour en personnel administratif et d'assistance dans les foyers du crépuscule heureux, après avoir gaspillé leurs meilleures années à soigner des vioques de tous les âges, d'un âge normal à un âge mathusalémien, des multitudes de pères, grands-pères, arrière-grands-pères, arrière-arrière-grands-pères, arrière-arrière-arrière-grands-pères, arrière-arrière-arrière-arrière-grands-pères, et ainsi de suite, ad infinitum, les uns après les autres, comme feuilles se détachant des arbres et tombant sur les feuilles des automnes précédents, mais où sont les neiges d'antan, ils rejoindront la fourmilière interminable de ceux qui peu à peu passent leur vie à perdre leurs dents et leurs cheveux, les légions de ceux qui voient et entendent mal, ont des hernies, des catarrhes chroniques, se sont cassé le col du fémur, les paraplégiques, les cachectiques désormais immortels et incapables d'essuyer la bave qui leur coule du menton, excellences, messieurs qui nous gouvernez, vous ne nous croirez peut-être pas, mais ce qui nous tombe sur le paletot est le pire des cauchemars qu'un être humain ait jamais pu rêver, pas même dans les sombres cavernes, quand tout n'était que terreur et tremblement, n'aura-t-on vu pareille chose, nous le disons, nous qui avons l'expérience du premier foyer du crépuscule heureux, il est vrai qu'alors tout était à petite échelle, mais l'imagination doit bien servir à quelque chose, si vous voulez que nous vous parlions avec franchise, avec le cœur sur la main, plutôt la mort, monsieur le premier ministre, plutôt la mort qu'un sort pareil.

Une menace terrible met en danger la survie de notre industrie, fut ce que déclara aux médias le président de la fédération des compagnies d'assurances, se référant aux milliers et milliers de lettres qui, dans des mots plus ou moins identiques, comme si elles avaient été copiées d'un unique brouillon, étaient arrivées ces derniers jours dans les entreprises, ordonnant l'annulation immédiate des polices d'assurance-vie des signataires respectifs. Ces derniers affirmaient qu'eu égard au fait public et notoire que la mort avait mis fin à ses jours, il serait absurde, pour ne pas dire tout bonnement stupide, de continuer à payer des primes très élevées qui serviraient seulement, sans la moindre espèce de contrepartie, à enrichir encore davantage les compagnies d'assurances. Je ne suis pas là pour nourrir des ânes avec de la brioche, déclarait dans un postscriptum un assuré particulièrement hargneux. Certains allaient encore plus loin, ils réclamaient la restitution des sommes payées, mais on comprenait aussitôt qu'ils lançaient simplement de la boue contre le mur par acquit de conscience, pour voir si elle y resterait collée. À l'inévitable question des journalistes sur ce que les compagnies d'assurances pensaient faire pour contrer la salve d'artillerie lourde qui leur tombait dessus à l'improviste, le président de la fédération répondit que, bien que les conseillers juridiques soient en train d'étudier à l'instant même avec la plus grande attention tout ce qui était écrit en petits caractères sur les polices d'assurance, afin d'y détecter de possibles interprétations permettant, bien entendu dans le cadre de la légalité la plus stricte, d'imposer aux assurés hérétiques, même contre leur volonté, l'obligation de payer aussi longtemps qu'ils seraient en vie, c'est-à-dire sempiternellement, le plus probable cependant était qu'ils se voient proposer un pacte de consensus, un gentleman's agreement, qui consisterait à inclure un bref addendum aux polices, les corrigeant pour le présent et aussi pour le futur, fixant un âge limite de quatre-vingts ans pour la mort obligatoire, évidemment au sens figuré, s'empressa d'ajouter le président en souriant avec indulgence. De cette façon, les compagnies recouvreraient les primes le plus normalement du monde jusqu'à la date où l'heureux assuré fêterait son quatre-vingtième anniversaire, date à laquelle, s'étant transformé en quelqu'un de virtuellement mort, il demanderait à recouvrer le montant intégral de son assurance, demande qui serait satisfaite avec ponctualité. Il fallait encore ajouter, et ce n'était pas le moins intéressant, que, au cas où ils le souhaiteraient, les clients pourraient renouveler leur contrat pendant encore quatre-vingts ans, à la fin desquels, pour que les effets nécessaires puissent se produire, un second décès serait enregistré, la procédure antérieure se répétant, et ainsi de suite successivement. L'on entendit des murmures d'admiration et une ébauche d'applaudissement parmi les journalistes experts en calcul actuariel que le président remercia par une légère inclinaison de la tête. D'un point de vue stratégique et tactique, ç'avait été un coup de maître, si bien que dès le lendemain des lettres commencèrent à affluer dans les compagnies d'assurances disant que les premières étaient nulles et non avenues. Tous les assurés se déclaraient prêts à accepter le gentleman's agreement proposé, grâce auquel on pourra dire sans exagération que ce fut là un des cas rarissimes où il n'y avait pas de perdants, mais seulement des gagnants. À commencer par les compagnies d'assurances qui avaient échappé de justesse à la catastrophe. L'on espère d'ores et déjà que lors de la prochaine élection le président de la fédération sera reconduit dans la charge qu'il exerce si brillamment.

On peut dire tout ce qu'on voudra de la première réunion de la commission interdisciplinaire, sauf qu'elle s'est bien passée. La faute, si ce terme pesant a sa place ici, en incombe au mémorandum dramatique soumis au gouvernement par les foyers du crépuscule heureux, notamment la phrase comminatoire qui le concluait, Plutôt la mort, monsieur le premier ministre, plutôt la mort qu'un sort pareil. Alors que les philosophes, divisés comme toujours en pessimistes et optimistes, les uns le sourcil froncé, les autres souriant, se disposaient à recommencer pour la mille et unième fois la vieille querelle du verre dont on ne sait s'il est à moitié plein ou à moitié vide, laquelle querelle, transposée à l'affaire qui les réunissait, se réduirait finalement et très probablement à un inventaire des avantages ou des désavantages d'être mort ou de vivre à tout jamais, les délégués des religions se présentèrent en un front uni grâce auquel ils espéraient placer le débat sur l'unique terrain dialectique qui les intéressait, à savoir l'acceptation explicite de l'idée que la mort était absolument fondamentale pour l'avènement du royaume de dieu et que, par conséquent, toute discussion sur un avenir sans mort serait non seulement blasphématoire, mais également absurde car il faudrait inévitablement présupposer un dieu absent, pour ne pas dire simplement disparu. Il ne s'agissait pas d'une attitude nouvelle, le cardinal lui-même avait déjà mis le doigt sur le sac de nœuds que serait cette version théologique de la quadrature du cercle lorsque, dans sa conversation téléphonique avec le premier ministre, il avait reconnu dans des termes beaucoup moins clairs que, si la mort disparaissait, il n'y aurait plus de résurrection possible et que sans résurrection l'église perdrait tout son sens. Or celle-ci étant publiquement et notoirement l'unique instrument de travail dont dieu semblait disposer sur terre pour tracer les voies devant mener à son royaume, la conclusion évidente et irréfutable était que toute l'histoire sainte aboutissait inévitablement à une impasse. Cet argument acide était sorti de la bouche du plus âgé des philosophes pessimistes qui ne s'en tint pas là et ajouta immédiatement, Les religions, toutes autant qu'elles sont et quel que soit l'angle sous lequel on les regarde, ont la mort pour unique justification de leur existence, elles ont besoin de la mort comme la bouche du pain. Les délégués des religions ne se donnèrent pas la peine de protester. Au contraire, l'un d'eux, représentant renommé du secteur catholique, déclara, Vous avez raison, monsieur le philosophe, c'est exactement pour cela que nous existons, pour que les gens passent toute leur vie pris dans l'étau de la peur et pour que, leur heure venue, ils accueillent la mort comme une libération, Le paradis, Paradis ou enfer, ou rien du tout, ce qui se passe après la mort nous importe bien moins qu'on ne le croit généralement, la religion, monsieur le philosophe, est une affaire terrestre, elle n'a rien à voir avec le ciel, Ce n'est pas ce qu'on nous a habitués à entendre, Il fallait bien dire quelque chose pour rendre la marchandise attrayante, Cela signifie-t-il qu'en réalité vous ne croyez pas à la vie éternelle, Nous faisons semblant. Pendant une bonne minute tous se turent. Le plus âgé des pessimistes laissa un vague sourire empreint de douceur errer sur son visage, puis sourit comme s'il venait de voir couronnée de succès une difficile expérience de laboratoire. Intervint alors un philosophe de l'école optimiste, Pourquoi êtes-vous aussi effrayés par la disparition de la mort, Nous ne savons pas si elle a disparu, nous savons seulement qu'elle a cessé de tuer, ce n'est pas la même chose, D'accord, mais puisque ce doute n'est pas dissipé, je maintiens ma question, Parce que si les êtres humains ne mouraient pas, tout deviendrait permis, Et serait-ce un mal, demanda le philosophe âgé, Un mal aussi pernicieux que de ne rien permettre. Un nouveau silence s'installa. Les huit hommes assis autour de la table avaient été chargés de réfléchir aux conséquences d'un avenir sans mort et d'élaborer à partir des données disponibles présentement une prévision plausible des nouveaux problèmes que la société allait devoir affronter, en plus de l'aggravation inévitable des anciens problèmes, cela va sans dire. Alors, il vaudrait mieux ne rien faire, déclara un des philosophes optimistes, laissons l'avenir résoudre les problèmes du futur, Le hic, c'est que le futur commence déjà aujourd'hui, rétorqua un des pessimistes, nous avons ici, entre autres documents, les mémorandums élaborés par les foyers dits du crépuscule heureux, par les hôpitaux, par les pompes funèbres, par les compagnies d'assurances et, sauf dans le cas de ces dernières qui trouveront toujours le moyen de tirer profit de n'importe quelle situation, force est de reconnaître que les perspectives ne se contentent pas d'être sombres, elles sont catastrophiques, elles sont terribles, elles dépassent en danger toutes les élucubrations de l'imagination la plus délirante, Sans vouloir être ironique, ce qui serait du plus mauvais goût dans les circonstances actuelles, fit remarquer un représentant non moins renommé du secteur protestant, m'est avis que cette commission est mort-née, Les foyers du crépuscule heureux ont raison, plutôt la mort qu'un sort pareil, dit le porte-parole des catholiques, Que pensez-vous faire alors, demanda le pessimiste le plus âgé, outre proposer la dissolution immédiate de la commission, comme vous semblez le souhaiter, Pour notre part, nous, église catholique, apostolique et romaine, nous lancerons une campagne nationale de prières pour demander à dieu d'organiser le retour de la mort le plus rapidement possible afin d'épargner à l'humanité les pires horreurs, Dieu a-t-il une autorité sur la mort, demanda un des optimistes, Ils sont les deux faces de la même monnaie, d'un côté le roi, de l'autre la couronne, S'il en est ainsi, c'est peut-être sur l'ordre de dieu que la mort s'est retirée, Le moment venu, nous connaîtrons les raisons de cette épreuve, en attendant, nous allons mettre les rosaires à l'œuvre, Nous ferons de même, je veux parler des prières, bien entendu, pas des rosaires, sourit le protestant, Et nous allons aussi faire sortir dans la rue, partout dans le pays, des processions pour demander la mort, comme nous le faisions déjà ad petendam pluviam, pour demander la pluie, traduisit le catholique, Nous n'irons pas jusque-là, ces processions n'ont jamais fait partie des manies que nous cultivons, se remit à sourire le protestant. Et nous, demanda un des philosophes optimistes d'un ton qui paraissait annoncer son passage prochain dans le camp adverse, que ferons-nous désormais, maintenant que toutes les portes semblent fermées, Pour commencer, lever la séance, répondit le plus âgé, Et ensuite, Continuer à philosopher, puisque c'est notre raison d'être, quand bien même ce ne serait que pour brasser du vide, À quelle fin, À quelle fin je ne sais pas, Alors pourquoi, Parce que la philosophie a autant besoin de la mort que les religions, si nous philosophons c'est parce que nous savons que nous mourrons, monsieur de montaigne a dit que philosopher c'est apprendre à mourir.

Même sans être des philosophes, du moins au sens le plus courant du terme, certains avaient réussi à apprendre le chemin. Paradoxalement, pas tellement à apprendre à mourir eux-mêmes car leur temps n'était pas encore venu, mais à tromper la mort d'autrui en l'aidant. L'expédient employé, comme on ne tardera pas à le constater, fut une nouvelle manifestation de l'inépuisable capacité inventive de l'espèce humaine. Dans un certain village, à quelques kilomètres de la frontière avec un des pays limitrophes, vivait une famille de paysans pauvres qui pour ses péchés avait non pas un parent, mais deux, dans un état de vie en suspens, ou plutôt, comme ils préféraient dire, de mort arrêtée. L'un d'eux était un de ces grands-pères à l'ancienne, un patriarche solide que la maladie avait réduit à l'état de loque misérable, sans l'avoir pour autant complètement privé de l'usage de la parole. L'autre était un enfant de quelques mois à qui l'on n'avait pas encore eu le temps d'apprendre ni le mot vie ni le mot mort et à qui la mort réelle refusait de se faire connaître. Ils ne mouraient pas, ils ne vivaient pas, le médecin de campagne qui les visitait une fois par semaine disait qu'il ne pouvait plus rien faire pour eux ni contre eux, pas même leur injecter à l'un et à l'autre une bonne drogue létale comme celles qui, il y a peu de temps encore, auraient été la solution radicale à n'importe quel problème. Tout au plus pourrait-il les pousser d'un pas dans la direction où l'on supposait que se trouvait la mort, mais ce serait vain, parfaitement inutile, car au même instant, inaccessible comme auparavant, elle reculerait d'un pas et garderait ses distances. La famille demanda au curé de l'aider. Celui-ci écouta, leva les yeux au ciel et ne trouva rien à répondre, sauf que nous sommes tous entre les mains de dieu et que la miséricorde divine est infinie. Oui-da, elle est sans doute infinie, mais pas suffisante pour aider notre père et grand-père à mourir en paix, ni pour sauver un pauvre petit innocent qui n'a fait de mal à personne. Sur ces entrefaites, sans que rien n'avance ni ne recule, sans remède et sans espoir d'en trouver un, le vieux se mit à parler, Que quelqu'un approche, dit-il, Voulez-vous de l'eau, demanda la fille mariée, Je ne veux pas d'eau, je veux mourir, Vous savez bien que le docteur a dit que ce n'est pas possible, père, souvenez-vous que la mort a disparu, Le docteur ne comprend rien, depuis que le monde existe il y a toujours eu une heure et un lieu pour mourir, Plus maintenant, Si, encore maintenant, Calmez-vous, père, la fièvre va grimper, Je n'ai pas de fièvre et même si j'en avais ce serait pareil, écoute-moi avec attention, J'écoute, Approche-toi plus près, avant que ma voix ne se brise, Dites. Le vieillard susurra quelques mots à l'oreille de sa fille. Elle secouait la tête, mais il insistait et insistait. Ça ne résoudra rien, père, balbutia-t-elle, stupéfaite, pâle d'effroi, Si, ça résoudra tout, Mais si ça ne résout rien, Nous ne perdrons rien à essayer, Mais si ça ne résout rien, C'est simple, vous me ramènerez de nouveau à la maison, Et l'enfant, L'enfant viendra aussi, si je reste là-bas, il restera avec moi. La fille essaya de réfléchir, la perplexité se lisait sur son visage, elle demanda enfin, Et pourquoi ne vous ramènerions-nous pas pour vous enterrer ici, Imagine ce que ça donnerait, deux morts à la maison dans un pays où personne n'arrive à mourir, malgré toutes sortes de tentatives, comment expliquerais-tu ça, de plus, telles que les choses se présentent, je doute que la mort nous laisse revenir, C'est de la folie, père, Peut-être, mais je ne vois pas d'autre moyen pour sortir de cette situation, Nous vous voulons vivant, pas mort, Mais pas dans l'état où tu me vois ici, un vivant mort, un mort qui semble vivant, Si tel est votre désir, nous accomplirons votre volonté, Embrasse-moi. La fille déposa un baiser sur son front et sortit en pleurant. De là, en larmes, elle s'en fut annoncer au reste de la famille que le père avait décidé qu'il fallait l'emmener le soir même de l'autre côté de la frontière où, d'après lui, la mort encore en vigueur dans ce pays-là ne pourrait que l'accepter. La nouvelle fut accueillie avec un sentiment complexe d'orgueil et de résignation, d'orgueil parce que ce n'est pas tous les jours qu'un vieillard s'offre ainsi, de son propre gré, à la mort qui le fuit, de résignation parce que, perdu pour perdu, il n'y a plus rien à faire, contre ce qui doit être nul ne peut rien. Comme il est écrit que l'on ne peut pas tout avoir dans la vie, le courageux vieillard laissera derrière lui rien moins qu'une famille pauvre et honnête qui ne manquera sûrement pas d'honorer sa mémoire. La famille n'était pas uniquement cette fille partie en pleurant et l'enfant qui n'avait fait de mal à personne, il y avait aussi une autre fille et son mari, père de trois garçons, heureusement en bonne santé, plus une tante célibataire qui avait déjà dépassé depuis longtemps l'âge de se marier. L'autre gendre, mari de la fille sortie en larmes, vit dans un pays lointain où il a émigré pour gagner sa vie et il apprendra demain qu'il a perdu en même temps son fils unique et son beau-père qu'il aimait bien. La vie est ainsi, elle donne d'une main jusqu'au jour où elle retire tout de l'autre. Nous savons mieux que quiconque que peu importe la parenté de paysans qui ne figureront probablement plus dans ce récit, mais nous avons estimé qu'il ne serait guère séant, ne serait-ce que d'un strict point de vue technico-narratif, d'expédier en deux lignes hâtives précisément les personnes qui seront les protagonistes d'un des épisodes les plus dramatiques de cette histoire vraie, encore que peu véridique sur les intermittences de la mort. Laissons-les-y donc. Nous avons juste omis de dire que la tante célibataire manifesta encore un doute, Que diront les voisins, demanda-t-elle, quand ils s'apercevront que ne sont plus ici ceux qui, sans mourir, étaient à l'article de la mort. En général, la tante célibataire ne parle pas d'une façon aussi précieuse, aussi recherchée, elle l'a fait maintenant pour ne pas fondre en larmes, ce qui aurait eu lieu si elle avait prononcé le nom de l'enfantelet qui n'avait fait aucun mal à personne et les mots mon frère. Le père des trois autres enfants lui répondit, Nous dirons simplement ce qui s'est passé et nous attendrons les conséquences, on nous accusera sûrement d'avoir procédé à des enterrements clandestins en dehors du cimetière et à l'insu des autorités, et par-dessus le marché dans un autre pays, Espérons que cela ne déclenchera pas une guerre, dit la tante.

Il était presque minuit quand ils s'acheminèrent vers la frontière. Comme s'il soupçonnait que quelque chose de louche était en train de se tramer, le village avait tardé plus que de coutume à se mettre au lit. Enfin, le silence régna dans les rues et les lumières s'éteignirent une à une dans les maisons. La mule fut attelée à la charrette, puis, à grand-peine, malgré son faible poids, le gendre et ses deux filles firent descendre le grand-père, ils le tranquillisèrent quand celui-ci demanda d'une voix languissante s'ils avaient emporté la bêche et la houe. Oui, nous les avons emportées, soyez tranquille, et aussitôt la mère de l'enfant monta dans la charrette, le prit dans ses bras, dit, Adieu, mon fils, je ne te reverrai plus, mais ce n'était pas vrai, car elle aussi se trouvait dans la charrette avec sa sœur et son beau-frère, tous trois ne seraient pas de trop pour la besogne. La tante célibataire ne voulut pas dire adieu aux voyageurs qui ne reviendraient pas et elle s'enferma dans sa chambre avec ses neveux. Comme les cercles métalliques des roues de la charrette auraient causé du vacarme sur l'empierrement irrégulier de la chaussée, au risque grave que les habitants, curieux de savoir où les voisins pouvaient bien aller à cette heure, paraissent aux fenêtres, ils firent un détour par des chemins de terre jusqu'à parvenir enfin sur la route en dehors de l'agglomération. Ils n'étaient pas très loin de la frontière, mais l'ennui était que la route ne les y mènerait pas, à un certain moment il leur faudrait la quitter et continuer par des chemins de traverse sur lesquels la charrette pourrait à peine avancer, sans compter que la dernière partie du trajet devrait se faire à pied, pour ainsi dire à travers bois, en transportant le grand-père dieu sait comment. Heureusement, le gendre connaît bien ces parages, car outre qu'il les a sillonnés en tant que chasseur, il y a aussi exercé de temps à autre des activités de contrebandier amateur. Ils mirent presque deux heures à arriver à l'endroit où ils devraient abandonner la charrette et le gendre eut alors l'idée de transporter le grand-père sur le dos de la mule, tablant sur la solidité des jarrets de la bête. Ils dételèrent l'animal, le délestèrent de son harnachement superflu et s'employèrent à y hisser tant bien que mal le vieillard. Les deux femmes pleuraient, Hélas, mon père chéri, et avec leurs larmes s'en allait le peu de forces qui leur restait encore. Le pauvre homme était à moitié inconscient, comme s'il traversait déjà le premier seuil de la mort. Nous n'y arriverons pas, s'exclama le gendre avec désespoir, mais soudain il s'avisa que la solution serait qu'il monte lui-même d'abord et qu'il le hisse ensuite sur l'épaule de la mule, devant lui. Je vais le porter dans mes bras, ensuite vous m'aiderez. La mère de l'enfant alla arranger l'étroite couverture qui abritait le petit dans la charrette, afin que le pauvret ne prenne pas froid, puis elle revint aider sa sœur, Et un, et deux, et trois, dirent-elles, mais ce fut vain, à présent le corps semblait de plomb, elles ne réussirent qu'à le décoller du sol. Alors se produisit une chose inouïe, une sorte de miracle, de prodige, de merveille. Comme si, l'espace d'un instant, les lois de la gravité s'étaient arrêtées ou inversées, du bas vers le haut, le grand-père s'échappa doucement des mains de ses filles et, lévitant de lui-même, s'éleva vers les bras tendus de son gendre. Le ciel, couvert de lourds nuages menaçants depuis le début de la nuit, s'entrouvrit et laissa paraître la lune. Nous pouvons nous mettre en route à présent, dit le gendre à sa femme, tu conduiras la mule. La mère de l'enfant écarta un peu la couverture pour voir dans quel état était son fils. Les paupières closes étaient comme deux petites taches pâles, le visage un dessin confus. Alors elle poussa un cri qui se répandit dans tout l'espace autour d'eux et qui fit trembler les bêtes sauvages dans leurs tanières, Non, ce ne sera pas moi qui amènerai mon fils de l'autre côté, je ne lui ai pas donné la vie pour le livrer à la mort de mes propres mains, emmenez notre père, moi je reste ici. Sa sœur s'approcha d'elle et lui demanda, Tu préfères assister à son agonie, année après année, Toi, tu as trois fils éclatants de santé, tu ne sais pas ce que c'est, C'est comme si ton enfant était le mien, S'il en est ainsi, emmène-le, toi, moi, je ne peux pas, Et moi, je ne le dois pas, ce serait le tuer, Où est la différence, Mener à la mort et tuer ce n'est pas pareil, tout au moins dans ce cas-ci, c'est toi la mère de cet enfant, pas moi, Serais-tu capable d'emmener un de tes enfants, ou tous, Je crois que oui, mais je n'en jurerais pas, Alors, c'est moi qui ai raison, Si c'est ce que tu veux, attends-nous, nous allons emmener notre père. La sœur s'éloigna, attrapa la mule par la bride et dit, Allons-y, le mari répondit, Allons-y, mais lentement, je ne veux pas qu'il tombe. La lune était pleine et brillait. Devant, quelque part, se trouvait la frontière, cette ligne visible uniquement sur les cartes. Comment saurons-nous que nous sommes arrivés, demanda la femme, Le père le saura, lui. Elle comprit et cessa de poser des questions. Ils continuèrent à marcher, encore cent mètres, encore dix pas et soudain l'homme dit, Nous sommes arrivés, C'est fini, Oui. Derrière eux une voix répéta, C'est fini. La mère de l'enfant protégeait pour la dernière fois son fils mort dans le creux de son bras gauche, de la main droite elle tenait sur l'épaule la bêche et la houe oubliées par les autres. Marchons encore un peu, jusqu'à ce frêne, dit le beau-frère Au loin, sur une pente, on distinguait les lumières d'un bourg. On comprenait au pas de la mule que le sol était devenu meuble, il devait être facile à creuser. Cet endroit me paraît bien, dit enfin l'homme, l'arbre pourra servir de repère quand nous leur apporterons des fleurs.

La mère de l'enfant laissa tomber la bêche et la houe et étendit doucement son fils sur le sol. Puis, avec mille précautions afin qu'il ne glisse pas, les deux sœurs reçurent le corps de leur père et, sans attendre l'aide de l'homme qui déjà descendait de la mule, elles allèrent le placer à côté de son petit-fils. La mère de l'enfant sanglotait, elle répétait d'un ton monotone, Mon fils, mon père, sa sœur la serra dans ses bras, pleurant, elle aussi, et disant, C'est mieux comme ça, c'est mieux comme ça, ce n'était plus une vie pour ces malheureux. Toutes deux s'agenouillèrent par terre pour pleurer les morts venus tromper la mort. Déjà, l'homme empoignait la houe, creusait, retirait la terre ameublie avec la bêche et se remettait aussitôt à creuser. En dessous, la terre était plus dure, plus compacte, un peu pierreuse. Au bout d'une demi-heure seulement de travail continu, la tombe fut suffisamment profonde. Il n'y avait ni cercueil ni suaire, les corps reposeraient sur la terre non polluée, dans les vêtements qu'ils portaient. Unissant leurs forces, l'homme et les deux femmes, lui à l'intérieur de la fosse, elles à l'extérieur, de part et d'autre, firent descendre lentement le corps du vieillard, elles, le soutenant par ses bras ouverts en croix, lui, le retenant jusqu'à ce qu'il touche le fond. Les femmes n'arrêtaient pas de pleurer, l'homme avait les yeux secs, mais tout son corps tremblait, comme s'il avait un accès de fièvre. Le pire était encore à venir. Dans les larmes et les gémissements, l'enfant fut descendu, installé à côté du grand-père, mais il n'était pas bien là, petite silhouette insignifiante, vie sans importance, abandonné à l'écart, comme s'il n'était pas de la famille. Alors l'homme se pencha, releva l'enfant du sol, le coucha à plat ventre sur la poitrine du grand-père dont les bras furent ensuite croisés sur le corps minuscule, et alors, oui, les voilà installés, prêts au repos, nous pouvons commencer à jeter sur eux de la terre, soigneusement, peu à peu, pour qu'ils puissent encore nous regarder un certain temps, pour qu'ils puissent prendre congé de nous, écoutons ce qu'ils nous disent, adieu mes filles, adieu mon gendre, adieu mon oncle et ma tante, adieu ma mère. Quand la fosse fut comblée, l'homme piétina et égalisa la terre afin que, si quelqu'un passait par là, il ne s'aperçoive pas que des gens y étaient enterrés. Il plaça une pierre au chevet et une autre, plus petite, au pied, puis il éparpilla sur la tombe les herbes qu'il avait coupées précédemment avec la houe, et d'autres plantes, vivantes, ne tarderont pas à prendre la place de celles, fanées, mortes, desséchées qui entreront dans le cycle alimentaire de cette même terre d'où elles avaient germé. L'homme mesura à grands pas la distance entre l'arbre et la tombe, il en compta douze, puis il plaça la bêche et la houe sur son épaule, Allons-nous-en, dit-il. La lune avait disparu, le ciel était à nouveau couvert. La pluie commença à tomber lorsqu'ils achevèrent d'atteler la mule à la charrette.

Les acteurs de la scène dramatique qui vient d'être décrite avec une minutie inusitée dans un récit qui jusqu'à présent avait préféré offrir au lecteur curieux une vue pour ainsi dire panoramique des faits ont été classés socialement dans la catégorie des paysans pauvres lors de leur entrée en scène inopinée. Cette erreur, qui résulte d'une impression hâtive du narrateur, d'une observation on ne peut plus superficielle, doit être corrigée immédiatement par respect de la vérité. Une famille paysanne pauvre, vraiment pauvre, ne pourrait jamais posséder une charrette ni sustenter une bête aussi vorace qu'une mule. Il s'agissait plutôt d'une famille de petits agriculteurs, de gens aisés dans le milieu modeste où ils vivaient, de personnes ayant de l'éducation et une instruction scolaire suffisante pour pouvoir avoir entre elles des dialogues non seulement corrects d'un point de vue grammatical, mais aussi avec ce que d'aucuns appellent, faute de mieux, du contenu, d'autres de la substance, d'autres encore, plus terre à terre, avec de la moelle. S'il n'en avait pas été ainsi, jamais la tante célibataire n'aurait été capable de concocter cette jolie phrase sur laquelle nous avons déjà glosé, Que diront les voisins quand ils s'apercevront que ne sont plus ici ceux qui, sans mourir, étaient à l'article de la mort. Le lapsus ayant été corrigé à temps, la vérité l'ayant remplacé, voyons à présent ce que dirent les voisins. En dépit des précautions prises, quel-qu'un avait vu la charrette et s'était étonné que ces trois-là sortent à pareille heure. Ce fut précisément la question que le voisin vigilant s'était posée mentalement. Où peuvent bien aller ces trois-là à pareille heure de la nuit, question répétée le lendemain matin, avec une légère nuance, au gendre du vieil agriculteur. L'interpellé répondit qu'ils étaient allés s'occuper d'une affaire, mais le voisin ne se tint pas pour satisfait, Une affaire à minuit, en charrette, avec ta femme et ta belle-sœur, c'est plutôt bizarre, dit-il, C'est bizarre si on veut, mais c'est comme ça, Et d'où veniez-vous quand le jour a commencé à poindre, Ça ne te regarde pas, Tu as raison, excuse-moi, ça ne me regarde vraiment pas, mais je suppose que je peux tout de même te demander comment va ton beau-père, Son état est stationnaire, Et ton petit neveu, Pareil, Ah, je leur souhaite de se rétablir, Merci, À bientôt, À bientôt. Le voisin fit quelques pas, s'arrêta, revint en arrière, J'ai cru voir que vous transportiez quelque chose dans la charrette, j'ai cru voir que ta belle-sœur portait un enfant dans ses bras, et si c'est bien le cas, alors, très probablement la silhouette couchée que j'ai cru apercevoir, enveloppée dans une couverture, était celle de ton beau-père, d'autant plus, D'autant plus quoi, D'autant plus qu'au retour la charrette était vide et que ta belle-sœur n'avait plus d'enfant dans les bras, À l'évidence, tu ne dors pas la nuit, J'ai le sommeil léger, je me réveille facilement, Tu t'es réveillé quand nous sommes partis, tu t'es réveillé quand nous sommes revenus, est-ce ce qu'on appelle une coïncidence, Exactement, Et tu aimerais que je te dise ce qui s'est passé, Si tu le veux bien, Suis-moi. Ils entrèrent dans la maison, le voisin salua les trois femmes, Je ne veux pas vous déranger, déclara-t-il, embarrassé, et il attendit. Tu seras le premier à savoir, dit le gendre, et tu n'auras pas à garder le secret car nous ne te le demanderons pas, Ne dis que ce que tu as vraiment envie de dire, Mon beau-père et mon neveu sont morts cette nuit, nous les avons emmenés de l'autre côté de la frontière où la mort est toujours en activité, Vous les avez tués, s'exclama le voisin, D'une certaine façon, oui, puisqu'ils ne pouvaient pas se rendre là-bas seuls, d'une autre, non, car nous l'avons fait sur l'ordre de mon beau-père, quant au petit garçon, le pauvre, lui n'avait ni volonté ni vie à vivre, ils sont enterrés au pied d'un frêne, dans les bras l'un de l'autre, pourrait-on dire. Le voisin porta les mains à sa tête, Et maintenant, Maintenant tu vas raconter ça à tout le village, nous serons arrêtés et conduits à la police, probablement jugés et condamnés pour ce que nous n'avons pas fait, Si, vous l'avez fait, Un mètre avant la frontière ils étaient encore vivants, un mètre après ils étaient déjà morts, dis-moi quand nous les avons tués et comment, Si vous ne les aviez pas emmenés là-bas, Oui, ils seraient ici, à attendre une mort qui ne vient pas. Silencieuses, sereines, les trois femmes regardaient le voisin. Je m'en vais, dit-il, je soupçonnais bien qu'il s'était passé quelque chose, mais je n'aurais jamais pensé que c'était ça, Je voudrais te demander un service, Quoi, Que tu m'accompagnes à la police, ainsi tu n'auras pas besoin d'aller de porte en porte, à droite et à gauche, pour raconter les crimes horribles que nous avons commis, imaginez un peu, parricide, infanticide, grand dieu, quels monstres vivent dans cette maison, Je ne le raconterais pas comme ça, Je le sais bien, m'accompagnes-tu, Quand, À l'instant même, il faut battre le fer tant qu'il est chaud, Allons-y.

Ils ne furent ni condamnés ni jugés. La nouvelle se répandit partout dans le pays comme une traînée de poudre fulgurante, les médias vitupérèrent les infâmes, les sœurs assassines, le gendre instrument du crime, des larmes furent versées sur le vieillard et l'enfantelet innocent, comme si chacun était le grand-père et le petit-fils que tous auraient voulu avoir, pour la millième fois les journaux bien-pensants qui servaient de baromètres de la moralité publique dénoncèrent la dégradation inéluctable des valeurs traditionnelles de la famille, à leur avis source, cause et origine de tous les maux, et voici que quarante-huit heures plus tard commencèrent à affluer des informations sur des pratiques identiques dans toutes les régions frontalières. D'autres charrettes et d'autres mules avaient emporté d'autres corps sans défense, de fausses ambulances avaient tourné et tourné dans des forêts abandonnées de chênes verts avant de trouver l'endroit où décharger ces corps, retenus généralement pendant le trajet par les ceintures de sécurité ou, dans certains cas répréhensibles, cachés dans les coffres à bagages et dissimulés sous une couverture, des voitures de tous modèles, marques et prix transportèrent vers cette guillotine, dont la lame, et l'on voudra bien nous pardonner cette comparaison un peu trop hardie, était la ligne ultrafine de la frontière, invisible à l'œil nu, les malheureux que la mort avait maintenus de ce côté-ci en situation de peine suspendue. Les familles qui avaient recouru à cette solution n'auraient pas pu toutes alléguer en leur défense les raisons, d'une certaine façon respectables encore qu'évidemment discutables, avancées par les agriculteurs angoissés dont nous avons fait la connaissance et qui, loin d'en imaginer les conséquences, avaient inauguré ce trafic. Certaines refusèrent de voir dans cet expédient consistant à se débarrasser d'un père ou d'un grand-père en territoire étranger autre chose qu'une façon propre et efficace, ou plus exactement radicale, de se libérer des véritables poids morts qu'étaient ces moribonds chez elles. Les médias, qui avaient d'abord énergiquement voué aux gémonies les filles et le gendre du vieillard enterré avec son petit-fils, incluant par la suite dans cette réprobation la tante célibataire, accusée de complicité et de connivence, stigmatisaient à présent la cruauté et le manque de patriotisme de personnes apparemment décentes qui, dans cette situation de crise nationale gravissime, avaient laissé tomber le masque hypocrite derrière lequel elles dissimulaient leur vrai caractère. Harcelé par les gouvernants des trois pays limitrophes et par son opposition politique intérieure, le chef du gouvernement condamna ces actes inhumains, il en appela au respect de la vie et annonça que les forces armées prendraient immédiatement position le long de la frontière pour empêcher le passage de tout citoyen en état de diminution physique terminale, que ce soit de sa propre initiative ou sur décision arbitraire d'un parent. Au fond, mais bien entendu le premier ministre n'osa pas en parler, au fond le gouvernement ne voyait pas d'un mauvais œil un exode qui, en dernière analyse, servirait les intérêts du pays dans la mesure où il aiderait à réduire une pression démographique en continuelle augmentation depuis trois mois, encore qu'elle fût loin d'atteindre des niveaux réellement inquiétants. Le chef du gouvernement ne révéla pas non plus que ce même jour il avait rencontré discrètement le ministre de l'intérieur pour planifier l'envoi d'agents de surveillance, ou d'espions, dans toutes les localités du pays, villes, bourgades et villages, avec pour mission de signaler aux autorités tout mouvement suspect de personnes ressemblant à des patients en état de mort suspendue. La décision d'intervenir ou non serait pesée au cas par cas, dès lors que le gouvernement n'envisageait pas d'entraver totalement cette poussée migratoire d'un type nouveau, mais plutôt de donner partiellement satisfaction aux préoccupations des gouvernements des pays ayant une frontière commune, encore que suffisamment pour étouffer pendant un certain temps les protestations. Nous ne sommes pas ici pour faire leurs quatre volontés, déclara le premier ministre d'un ton autoritaire, De plus les petits hameaux, les domaines ruraux, les maisons isolées ne seront pas englobés dans le plan, fit remarquer le ministre de l'intérieur, Ceux-là, nous les laisserons agir à leur guise, qu'ils fassent ce que bon leur semblera, vous savez par expérience, mon cher ministre, qu'il est impossible de flanquer chaque personne d'un agent de police.

Deux semaines durant, le plan fonctionna plus ou moins parfaitement, mais ensuite certains agents de surveillance se plaignirent de recevoir des menaces par téléphone, ils étaient sommés de fermer les yeux sur le trafic de patients terminaux s'ils voulaient vivre en paix et s'ils ne voulaient pas accroître avec leur propre corps le nombre de personnes qu'ils étaient chargés de surveiller. Ce n'étaient pas des paroles en l'air, comme on put le voir très vite quand les familles de quatre agents de surveillance furent averties par des coups de téléphone anonymes qu'elles devaient aller récupérer leurs proches dans des endroits précis. Dans l'état où ils se trouvaient, c'est-à-dire pas morts, mais pas très vivants non plus. Devant la gravité de la situation, le ministre de l'intérieur décida de manifester son pouvoir face à l'ennemi inconnu en ordonnant d'une part aux espions d'intensifier leur action investigatrice et d'autre part en annulant le système de compte-gouttes, celui-ci oui, celui-là non, appliqué conformément à la tactique du premier ministre. La réaction ne se fit pas attendre, quatre autres agents de surveillance subirent le triste sort des précédents, mais cette fois il n'y eut qu'un seul appel téléphonique, adressé au ministre de l'intérieur lui-même, ce qui pouvait être interprété comme une provocation, mais aussi comme un acte dicté par la plus pure logique, équivalant à déclarer, Nous existons. Cependant, le message ne s'en tint pas là, il était accompagné d'une proposition constructive, Concluons un gentleman's agreement, dit la voix à l'autre bout du fil, le ministère fait retirer ses sbires et nous nous chargeons nous-mêmes de transporter discrètement les patients, Qui êtes-vous, demanda le chef de service qui reçut l'appel, Tout juste un groupe de personnes éprises d'ordre et de discipline, des gens hautement compétents dans leur spécialité, qui détestent la chienlit et qui tiennent toujours leurs promesses, en un mot comme en cent, nous sommes des gens honnêtes, Et ce groupe a un nom, s'enquit le fonctionnaire, Certains nous appellent maphia, avec ph, Pourquoi avec ph, Pour nous distinguer de l'autre, la classique, L'état ne conclut pas d'accord avec les mafias, Sûrement pas dans des documents signés par-devant notaire, c'est évident, Ni dans ces documents-là ni dans d'autres, Quel poste occupez-vous, Chef de service, Donc quelqu'un qui ne connaît rien à la vie réelle, J'ai mes responsabilités, La seule qui nous intéresse en ce moment c'est que vous fassiez parvenir à qui de droit notre proposition, au ministre, si vous y avez accès, Je n'ai pas accès à monsieur le ministre, mais cette conversation sera transmise immédiatement à la hiérarchie, Le gouvernement aura quarante-huit heures pour l'étudier, pas une minute de plus, mais prévenez d'ores et déjà votre hiérarchie qu'il y aura de nouveaux agents de surveillance dans le coma si la réponse n'est pas celle que nous attendons, Cela sera fait, Après-demain, à cette même heure, je téléphonerai de nouveau pour connaître la réponse, Je prends bonne note, Ça a été un plaisir de vous parler, Je ne peux pas en dire autant, Je suis certain que vous commencerez à changer d'avis lorsque vous constaterez que les agents de surveillance sont rentrés sains et saufs chez eux, et si vous n'avez pas encore oublié les prières de votre enfance, priez pour que cela arrive, Je comprends, Je savais que vous comprendriez, J'ai compris, Quarante-huit heures, pas une minute de plus, Ce ne sera sûrement pas moi qui vous répondrai, Eh bien, moi je suis sûr que si, Pourquoi, Parce que le ministre ne voudra pas me parler directement, d'ailleurs si les choses se passent mal ce sera vous le responsable, rappelez-vous que ce que nous proposons c'est un accord tacite, un gentleman's agreement, Oui, monsieur, Bonsoir, Bonsoir. Le chef de service retira la bande du magnétophone et s'en fut parler à sa hiérarchie.

Une demi-heure plus tard, la cassette se trouvait entre les mains du ministre de l'intérieur. Celui-ci l'écouta, la ré-écouta, l'écouta une troisième fois, puis demanda, Ce chef de service est-il une personne de confiance, À ce jour, je n'ai jamais eu la plus petite raison de m'en plaindre, répondit la hiérarchie, Ni la plus grande, j'espère, Ni la plus grande ni la plus petite, dit la hiérarchie qui n'avait pas perçu l'ironie. Le ministre retira la cassette du magnétophone et entreprit de dérouler la bande. Quand il eut terminé, il plaça l'écheveau dans un grand cendrier en cristal et en approcha la flamme de son briquet. La bande commença à se rider, à se plisser et en moins d'une minute se transforma en un enchevêtrement noirci, friable et informe. Eux aussi ont dû enregistrer le dialogue avec le chef de service, déclara la hiérarchie, Ça n'a pas d'importance, n'importe qui peut simuler une conversation au téléphone, il suffit pour cela de deux voix et d'un magnétophone, ce qui compte ici, c'est de détruire notre bande, l'original brûlé, toutes les copies qu'on aurait pu en faire sont par avance calcinées, Inutile de vous dire que l'opératrice du téléphone conserve les enregistrements, Nous ferons en sorte que ceux-ci disparaissent aussi, Bien, monsieur le ministre, et maintenant, si vous le permettez, je vais me retirer et vous laisser réfléchir à la question, C'est tout réfléchi, ne partez pas, Vraiment, je ne suis pas surpris, monsieur le ministre jouit du privilège d'avoir une pensée très agile, Ces paroles seraient une flatterie si elles ne correspondaient pas à la réalité, c'est vrai, je pense vite, Allez-vous accepter la proposition, Je vais faire une contre-proposition, Je crains qu'elle ne soit pas acceptée, les termes employés par l'émissaire étaient péremptoires et plus que menaçants, de nouveaux agents de surveillance se retrouveront dans le coma si la réponse n'est pas celle que nous attendons, voilà exactement ce qu'il a dit, Mon cher, la réponse que nous allons leur donner est précisément celle qu'ils attendent, Je ne comprends pas, Mon cher, votre problème, et je le dis sans intention de vous blesser, c'est de n'être pas capable de penser comme un ministre, C'est ma faute, je le regrette, Ne regrettez rien, si un jour vous êtes appelé à servir le pays dans des fonctions ministérielles vous vous rendrez compte que votre cerveau fera un tour complet à l'instant précis où vous vous assiérez dans un fauteuil comme celui-ci, vous n'imaginez pas la différence, Je ne gagnerais rien à donner libre cours à mon imagination, je suis un fonctionnaire, Vous connaissez le vieil adage, ne dites jamais fontaine je ne boirai pas de ton eau, En ce moment même, monsieur le ministre, vous avez à boire une eau bien amère, dit la hiérarchie en désignant les restes de la bande calcinée, Quand on applique une stratégie bien définie et qu'on connaît convenablement les tenants et aboutissants d'une question, il n'est pas difficile de tracer une ligne d'action sûre, Je suis tout ouïe, monsieur le ministre, Après-demain, votre chef de service, car c'est lui qui répondra à l'émissaire, c'est lui qui négociera au nom du ministère et personne d'autre, dira que nous acceptons d'étudier la proposition qui nous est faite, mais il précisera aussitôt que l'opinion publique et l'opposition au gouvernement ne permettront jamais que ces milliers d'agents de surveillance soient mis à pied sans une explication valable, Et il est clair que l'explication valable ne pourrait être le fait que la maphia s'est emparée de l'affaire, Exactement, encore que la même idée aurait pu être exprimée dans des termes plus choisis, Excusez-moi, monsieur le ministre, ça m'est sorti de la bouche comme ça, Bon, arrivé à ce stade, le chef de service présentera la contre-proposition que nous pourrions aussi bien appeler solution de rechange, à savoir que les agents de surveillance ne seront pas mis à pied, ils resteront là où ils se trouvent actuellement, mais ils seront désactivés, Désactivés, Oui, je crois que le vocable est assez explicite, Sans aucun doute, monsieur le ministre, j'ai juste manifesté ma surprise, Je ne vois pas pour quelle raison, c'est la seule façon de ne pas sembler céder au chantage de cette bande de crapules, Bien qu'en réalité nous leur ayons cédé, L'important, c'est de ne pas avoir l'air de le faire, de sauver la face, ce qui se passera derrière la façade ne sera plus de notre responsabilité, Par exemple, Imaginons que nous interceptions maintenant un transport et que nous arrêtions les types, inutile de dire que ces risques étaient déjà inclus dans la facture que les parents devaient payer, Il n'y aura ni facture ni reçu, la maphia ne paie pas d'impôts, C'est une façon de parler, ce qui importe en l'occurrence, c'est que nous sortions tous gagnants de cette histoire, nous qui nous débarrassons d'un gros boulet, les agents de surveillance qui ne seront plus atteints dans leur intégrité physique, les familles qui respireront, sachant que leurs morts-vivants se transformeront finalement en vivants morts, et la maphia qui fera sa pelote, Un arrangement parfait, monsieur le ministre, Qui de surcroît repose sur la garantie très solide qu'il n'est de l'intérêt de personne d'ouvrir le bec, Je crois que vous avez raison, Peut-être, mon cher, votre ministre vous semblera-t-il très cynique, Pas le moins du monde, monsieur le ministre, j'admire sincèrement la rapidité avec laquelle vous avez réussi à mettre tout ça sur pied, c'est solide, c'est logique, c'est cohérent, L'expérience, mon cher, l'expérience, Je parlerai au chef de service, je lui transmettrai vos instructions, je suis convaincu qu'il s'acquittera convenablement de sa mission, comme je vous l'ai déjà dit, il ne m'a jamais donné la plus petite raison de me plaindre de lui, Ni la plus grande, je crois, Aucune raison, ni grande ni petite, répondit la hiérarchie, qui avait enfin saisi la finesse du trait badin.

Tout ou, pour être précis, presque tout, se passa comme le

ministre l'avait prévu. Exactement à l'heure convenue, ni une minute plus tôt, ni une minute plus tard, l'émissaire de l'association de malfaiteurs qui se dénomme elle-même maphia téléphona pour savoir ce que le ministère avait à dire. Le chef de service s'acquitta avec tous les honneurs de la tâche qui lui avait été confiée, il fut ferme et clair, persuasif sur la question fondamentale, à savoir que les agents de surveillance resteraient sur leur lieu d'affectation, mais seraient désactivés, et il eut la satisfaction de recevoir en échange, et de la transmettre ensuite à sa hiérarchie, la meilleure des réponses possibles dans les circonstances actuelles et c'était que la solution de rechange du gouvernement serait examinée attentivement et qu'un autre appel téléphonique interviendrait sous vingt-quatre heures. Ce qui fut le cas. Il était résulté de l'examen que la proposition du gouvernement était acceptable, mais à une condition, à savoir que seraient désactivés uniquement les agents de surveillance restés loyaux à l'égard du gouvernement, en d'autres termes ceux que la maphia n'avait pas convaincus de collaborer avec le nouveau patron, c'est-à-dire elle-même. Tentons de comprendre le point de vue des criminels. Placés devant une opération complexe de longue haleine à l'échelle de la nation et obligés d'employer une bonne partie de leur personnel le plus expérimenté à visiter les familles les plus enclines en principe à se débarrasser de leurs êtres chers afin de leur épargner charitablement des souffrances non seulement inutiles, mais éternelles, il était clair qu'ils avaient intérêt dans toute la mesure du possible en se servant pour ce faire de leurs armes favorites, corruption, subornation, intimidation, à profiter des services du gigantesque réseau d'informateurs déjà mis en place par le gouvernement. Ce fut contre cette pierre subitement lancée dans sa mare que se heurta la stratégie du ministre de l'intérieur, avec un grave préjudice pour la dignité de l'état et du gouvernement. Coincé entre le marteau et l'enclume, entre charybde et scylla, entre le mur et l'épée, le ministre de l'intérieur courut consulter le premier ministre sur ce nœud gordien inattendu. Le hic était que tout était déjà allé trop loin pour pouvoir reculer maintenant. Le chef du gouvernement, bien que plus expérimenté que le ministre de l'intérieur, ne trouva pas de meilleure solution pour se tirer cette épine du pied que de proposer une nouvelle négociation, cette fois en établissant une sorte de numerus clausus, du genre un maximum de vingt-cinq pour cent du nombre total d'agents de surveillance en activité qui travaillerait désormais pour l'autre camp. Une fois de plus, il incomberait au chef de service de transmettre à un interlocuteur déjà impatient la plate-forme conciliatrice grâce à laquelle, forcés de nourrir des espoirs à cause de leur propre anxiété, le chef du gouvernement et le premier ministre pensaient que l'accord serait finalement entériné. Sans signatures, puisqu'il s'agissait d'un gentleman's agreement, d'un accord où la simple parole donnée suffisait, évitant ainsi, comme le précise le dictionnaire, les formalités de nature juridique. C'était sans compter avec l'esprit retors et madré des maphieux. Pour commencer, ceux-ci ne fixèrent aucun délai pour la réponse, laissant sur des charbons ardents le pauvre ministre de l'intérieur, déjà résigné à présenter sa lettre de démission. En deuxième lieu, quand au bout de plusieurs jours l'idée leur vint qu'ils devaient téléphoner, ce fut seulement pour dire qu'ils n'étaient encore arrivés à aucune conclusion sur la question de savoir si la plate-forme était tolérablement conciliatrice à leurs yeux, et en passant, mine de rien, ils en profitèrent pour signaler qu'ils n'avaient aucune responsabilité dans le fait regrettable que la veille quatre nouveaux agents de surveillance avaient été découverts dans un état de santé épouvantable. En troisième lieu, comme toute attente a toujours une fin, heureuse ou malheureuse, la réponse qui finit par être communiquée au gouvernement par la direction maphieuse nationale, par le truchement du chef de service et de sa hiérarchie, se subdivisait en deux points, point a, le numerus clausus ne serait pas de vingt-cinq pour cent, mais de trente-cinq, point b, chaque fois que cela conviendrait à leurs intérêts et sans avoir à consulter préalablement les autorités et encore moins à obtenir leur consentement, l'organisation exigeait que lui soit reconnu le droit de transférer des agents de surveillance à son propre service là où se trouvaient des espions désactivés, sans avoir à préciser que ceux-là occuperaient la place de ceux-ci. C'était à prendre ou à laisser. Voyez-vous un moyen d'échapper à cette alternative, demanda le chef du gouvernement au ministre de l'intérieur, Je ne crois même pas qu'une alternative existe, monsieur, si nous refusons, j'imagine que chaque jour quatre agents de surveillance seront rendus inaptes au service et à la vie, si nous acceptons, nous resterons entre les mains de ces gens-là pendant dieu sait combien de temps, À tout jamais, ou en tout cas aussi longtemps que des familles souhaiteront se débarrasser à tout prix des boulets qu'elles ont à la maison, Ce que vous dites me donne une idée, Je ne sais pas si je dois m'en réjouir, Je fais de mon mieux, monsieur le premier ministre, si je suis devenu un boulet d'un autre genre, dites-le-moi, un mot suffira, Allons, allons, ne soyez pas aussi susceptible, quelle est donc cette idée, Monsieur le premier ministre, je crois que nous nous trouvons face à un exemple éclatant d'offre et de demande, Qu'est-ce que cela vient faire ici, nous parlons de gens qui, pour l'instant, n'ont qu'une seule façon de mourir, Comme dans le doute classique consistant à déterminer si c'est l'œuf ou la poule qui est apparu en premier, il n'est pas toujours facile de distinguer si la demande a précédé l'offre ou, au contraire, si l'offre a déclenché la demande, Je me rends compte que ce ne serait pas une mauvaise politique de vous retirer le portefeuille de l'intérieur pour vous donner celui de l'économie, Ces portefeuilles ne sont pas tellement différents, monsieur le premier ministre, tout comme une économie existe dans celui de l'intérieur, de même il existe un intérieur dans celui de l'économie, ce sont pour ainsi dire des vases communicants, Pas de divagations, dites-moi quelle est votre idée, Si cette première famille ne s'était pas avisée que la solution de son problème l'attendait de l'autre côté de la frontière, peut-être que la situation dans laquelle nous nous trouvons aujourd'hui serait différente, si ensuite un grand nombre de familles n'avait pas suivi cet exemple, la maphia ne se serait pas mise à exploiter une affaire qui n'existerait tout simplement pas, Théoriquement, c'est juste, encore que, comme nous le savons, la maphia soit tout à fait capable d'exprimer d'une pierre l'eau que celle-ci ne contient pas et de la vendre ensuite très cher, mais je ne vois toujours pas où vous voulez en venir, C'est simple, monsieur le premier ministre, Plaise au ciel que ce soit vrai, Pour être bref, il s'agit de tarir le volume de l'offre, Et comment réussirons-nous à faire cela, En convainquant les familles, au nom des principes les plus sacrés de l'humanité, de l'amour du prochain et de la solidarité, de garder leurs malades terminaux chez elles, Et comment croyez-vous pouvoir produire ce miracle, J'envisage une grande campagne publicitaire dans tous les médias, presse, télévision et radio, y compris défilés dans les rues, séances d'explication, distribution de prospectus et d'autocollants, théâtre de rue et en salle, cinéma, surtout des drames sentimentaux et des dessins animés, une campagne capable d'émouvoir jusqu'aux larmes, une campagne menant au repentir les parents oublieux de leurs devoirs et obligations, rendant les gens solidaires, pleins d'abnégation, compatissants, et je suis persuadé qu'en très peu de temps les familles pécheresses prendraient conscience de l'impardonnable cruauté de leur comportement actuel et qu'elles embrasseraient de nouveau les valeurs transcendantales qui jusqu'à tout récemment encore étaient leur soutènement le plus solide, Mes doutes augmentent à chaque instant, je me demande maintenant si je ne devrais pas plutôt vous confier le portefeuille de la culture, ou celui des cultes, pour lequel je vous trouve aussi une certaine vocation, Ou alors, monsieur le premier ministre, réunir les trois portefeuilles au sein d'un même ministère, Et tant qu'on y est, aussi celui de l'économie, Oui, à cause des vases communicants, Celui pour lequel vous seriez inapte, mon cher, ce serait celui de la propagande, car cette idée qu'une campagne publicitaire ferait rentrer les familles au bercail des âmes sensibles est d'une absurdité achevée, Pourquoi, monsieur le premier ministre, Parce qu'en réalité ce genre de campagne ne profite qu'à ceux qui se les font payer, Nous en avons lancé beaucoup, Oui, avec les résultats qu'on sait, en outre, pour en revenir à la question qui nous occupe, même si votre campagne donnait des résultats, ce ne serait ni pour aujourd'hui ni pour demain, or moi, je dois prendre une décision à l'instant même, J'attends vos ordres, monsieur le premier ministre. Le chef du gouvernement sourit d'un air découragé, Tout cela est ridicule, absurde, dit-il, nous savons très bien que nous n'avons aucun choix et que les propositions que nous avons faites n'ont servi qu'à aggraver la situation, S'il en est ainsi, S'il en est ainsi et si nous ne voulons pas avoir sur la conscience quatre agents de surveillance par jour poussés à coups de gourdin vers le portail d'entrée de la mort, il ne nous reste plus qu'à accepter les conditions qui nous sont proposées, Nous pourrions déclencher une opération de police éclair, des arrestations fulgurantes, emprisonner plusieurs dizaines de maphieux, nous réussirions peut-être à les faire reculer, La seule façon de liquider le dragon c'est de lui couper la tête, lui limer les ongles ne sert à rien, Cela servirait quand même à quelque chose, Quatre agents de surveillance par jour, souvenez-vous, monsieur le ministre de l'intérieur, quatre agents par jour, mieux vaut reconnaître que nous sommes pieds et poings liés, L'opposition va nous tomber sur le poil avec la plus grande violence, nous accuser d'avoir vendu le pays à la maphia, Elle ne dira pas pays, elle dira patrie, C'est encore pire, Espérons que l'église nous donnera un coup de main, j'imagine qu'elle sera réceptive à l'argument qu'en sus de lui fournir quelques morts utiles, nous avons pris cette décision pour sauver des vies, On ne peut plus dire sauver des vies, monsieur le premier ministre, ça c'était avant, Vous avez raison, il va falloir inventer une autre expression. Un silence se fit. Puis le chef du gouvernement dit, Finissons-en, donnez les instructions nécessaires à votre chef de service et commencez à désactiver, nous avons besoin aussi de connaître les idées de la maphia sur la répartition territoriale des vingt-cinq pour cent d'agents de surveillance qui constitueront le numerus clausus, Trente-cinq pour cent, monsieur le premier ministre, Je ne vous remercie pas de me rappeler que notre déroute est encore plus grande que celle qui paraissait inévitable dès le début, C'est un triste jour, Si les familles des quatre agents savaient ce qui se passe ici, elles ne diraient pas ça, Et quand je pense que demain ces quatre agents travailleront peut-être pour la maphia, C'est la vie, mon cher titulaire du ministère des vases communicants, De l'intérieur, monsieur le premier ministre, de l'intérieur, Celui-là est le dépôt central vers lequel tout conflue.

On pourrait penser qu'après tant de concessions éhontées de la part du gouvernement pendant les allées et venues des transactions avec la maphia, allant jusqu'à consentir que d'humbles et honnêtes fonctionnaires publics se mettent à travailler à plein temps pour l'organisation criminelle, on pourrait penser, disions-nous, que des bassesses morales plus grandes encore seraient devenues impossibles. Malheureusement, lorsqu'on avance à l'aveuglette dans les terrains marécageux de la realpolitik, lorsque le pragmatisme s'empare de la baguette du chef d'orchestre et dirige le concert sans se soucier de ce qui est écrit sur la partition, invariablement la logique impérieuse de l'avilissement vient démontrer que finalement il y avait encore quelques degrés à descendre. Par le biais du ministère compétent, celui de la défense, appelé de la guerre en des temps plus sincères, des instructions furent dépêchées afin que les forces armées placées le long de la frontière se bornent à surveiller les routes principales, notamment celles menant aux pays voisins, abandonnant à leur paix bucolique celles de deuxième et de troisième catégorie et aussi, à plus forte raison, le menu réseau des chemins vicinaux, des sentiers, des pistes, des sentes, des raccourcis. Cela entraîna évidemment le retour dans les casernes de la majeure partie de ces forces, ce qui réjouit grandement les simples soldats, y compris les caporaux et les fourriers, excédés tous autant qu'ils étaient par les heures de faction et les rondes de jour et de nuit, mais provoqua tout au contraire un mécontentement déclaré dans la classe des sergents, visiblement plus conscients que le reste de la troupe de l'importance des valeurs de l'honneur militaire et du service de la patrie. Cependant, si le mouvement capillaire de ce déplaisir put grimper jusqu'aux sous-lieutenants, si ensuite il perdit un peu de sa vigueur au niveau des lieutenants, ce qui est certain c'est qu'il regagna de l'élan, et un élan considérable, quand il atteignit le grade des capitaines. Bien entendu, aucun d'entre eux n'aurait osé prononcer à haute voix le mot dangereux de maphia, mais quand ils discutaient les uns avec les autres, ils ne pouvaient éviter de se souvenir de la façon dont, pendant les jours précédant la démobilisation, de nombreuses fourgonnettes transportant des malades terminaux avaient été interceptées, avec à côté du conducteur un agent de surveillance officiellement habilité qui, avant même qu'on ne le lui demande, exhibait un papier muni de tous les timbres, signatures et tampons nécessaires, sur lequel le déplacement du patient untel vers une destination non spécifiée était expressément autorisé pour des raisons d'intérêt national, mais où ordre était donné aux forces militaires de prêter toute la collaboration qui leur serait demandée, afin de garantir aux occupants de chaque fourgonnette une opération de transfert parfaite. Rien de cela n'aurait suscité de doute dans l'esprit des dignes sergents si, dans sept cas au moins, il ne s'était pas produit la coïncidence étrange qu'au moment même où il tendait au soldat le document à des fins de vérification l'agent de surveillance lui avait adressé un clin d'œil. Étant donné la dispersion géographique des lieux où ces épisodes de la vie militaire s'étaient produits, l'hypothèse qu'il s'agissait d'un geste, disons, équivoque, susceptible d'avoir un rapport avec

les manèges d'une séduction des plus primaires entre personnes du même sexe ou de sexe différent, car en l'occurrence
peu importait, cette hypothèse avait été d'emblée écartée. La
nervosité dont les agents de surveillance firent alors preuve,
certains plus que d'autres, il est vrai, mais tous d'une façon
telle qu'ils avaient l'air de jeter une bouteille à la mer contenant un appel au secours, poussa la corporation perspicace des
sergents à penser que les fourgonnettes cachaient le chat,
célèbre entre tous, qui se débrouille toujours pour laisser
poindre le bout de sa queue lorsqu'il souhaite être découvert.
L'ordre inexplicable de rentrer dans les casernes vint ensuite,
puis des rumeurs filtrèrent ici et là, nées on ne savait comment
ni où, mais que certains propagateurs de ragots prétendirent en
toute confidence qu'elles pourraient bien émaner du ministère
de l'intérieur lui-même. Les journaux de l'opposition se firent
l'écho de l'atmosphère délétère qui régnait dans les casernes,
les journaux affidés au gouvernement nièrent avec véhémence
que semblables miasmes fussent en train d'empoisonner l'esprit de corps des forces armées, mais il n'en reste pas moins
que le bruit qu'un putsch militaire serait en cours de préparation, même si personne n'était en mesure d'expliquer pourquoi
et à quelle fin, commença à prendre de l'ampleur et à circuler
partout, si bien que le problème des malades qui ne mouraient
pas passa temporairement au deuxième plan dans les esprits.
Non pas qu'il fût oublié, comme le prouvait une phrase qui se
répandait et qui était répétée à l'envi par les piliers de bistrot,
Au moins, disaient-ils, s'il se produit un putsch militaire, nous
pouvons être sûrs d'une chose, même si les gens se canardent
à qui mieux mieux, ils ne réussiront à trucider personne. On
attendait à tout moment un vibrant appel du roi à la concorde
nationale, une communication du gouvernement annonçant un
ensemble de mesures d'urgence, une déclaration des hauts
commandements des armées de terre et de l'air, car comme le

pays n'avait pas de littoral il n'avait pas non plus de marine de guerre, faisant état de leur fidélité indéfectible aux pouvoirs légitimement constitués, un manifeste des écrivains, une prise de position des artistes, un concert de solidarité, une exposition d'affiches révolutionnaires, une grève générale organisée conjointement par les deux centrales syndicales, une pastorale des évêques invitant à prier et à jeûner, une procession de pénitents, une distribution massive de prospectus jaunes, bleus, verts, rouges, blancs, on parla même de convoquer une gigantesque manif à laquelle participeraient les milliers de personnes de tous les âges et de toutes les conditions se trouvant en état de mort suspendue qui défileraient dans les principales avenues de la capitale sur des civières, dans des brouettes, des ambulances ou sur le dos de leurs enfants les plus robustes, avec un immense calicot à la tête du cortège proclamant, sacrifiant rien moins que plusieurs virgules à l'efficacité du slogan, Nous qui défilons tristement ici nous vous attendons tous dans la joie. Finalement, rien de cela ne fut nécessaire. Il est vrai que le soupçon d'une implication directe de la maphia dans le transport des malades ne se dissipa pas, il est vrai qu'il se renforça même à la lumière de certains événements ultérieurs, mais une heure seulement suffirait pour que la menace subite de l'ennemi extérieur apaise les dispositions fratricides et réunisse autour de leur roi les trois états, clergé, noblesse et peuple, qui continuaient à exister dans le pays malgré le progrès des idées, et non sans quelques réticences justifiées, autour de leur gouvernement. L'histoire, comme presque toujours, peut se relater en quelques mots.

Irrités par l'invasion continuelle de leurs territoires par des commandos de fossoyeurs, maphieux ou spontanés, venus de cette terre aberrante où personne ne mourait, et après des protestations diplomatiques aussi nombreuses que vaines, les gouvernements des trois pays limitrophes décidèrent de faire avancer leurs troupes dans une action concertée et de garnir les frontières, avec l'ordre exprès de tirer après la troisième sommation. Il convient d'ailleurs de signaler que la mort de plusieurs maphieux, abattus pratiquement à bout portant après avoir traversé la ligne de séparation, étant ce qu'on a coutume d'appeler les inconvénients du métier, fut immédiatement un prétexte pour que l'organisation augmente les prix de son barème de prestation de services, dans la rubrique de l'assurance personnelle et des risques opérationnels. Après avoir fourni ce détail éclairant sur le fonctionnement de l'administration maphieuse, passons à l'essentiel. Une fois de plus, contournant en une manœuvre tactique irréprochable les hésitations du gouvernement et les doutes des hauts commandements des forces armées, les sergents reprirent l'initiative et devinrent, à la vue de tous, les promoteurs et donc aussi les héros du mouvement populaire de protestation qui envahit les places, les avenues et les rues pour exiger le retour immédiat des soldats sur le front de bataille. Indifférents, impassibles devant les problèmes gravissimes dans lesquels se débattait la patrie, aux prises avec sa quadruple crise, démographique, sociale, politique et économique, les pays par-delà les frontières avaient enfin laissé tomber le masque et montraient à la lumière du jour leur vrai visage de conquérants cruels et d'impérialistes implacables. Ces gens-là nous envient, disait-on dans les boutiques et les foyers, entendait-on répéter à la radio et à la télévision, ils nous envient parce que chez nous personne ne meurt, et s'ils veulent nous envahir et occuper notre territoire c'est pour ne pas mourir eux non plus. En deux jours, à coups de marches forcées et de bannières flottant au vent, entonnant des chants patriotiques comme la marseillaise, le ça ira, la maria da fonte, l'hymne à la charte, le não verás país nenhum, la bandiera rossa, la portuguesa, le

71

god save the king, l'internationale, le deutschland über alles, le chant des marais, le stars and stripes, les soldats s'en retournèrent aux postes d'où ils étaient venus et là, armés jusqu'aux dents, ils attendirent de pied ferme l'attaque et la gloire. Qui n'eurent pas lieu. Ni la gloire, ni l'attaque. Pas de conquête et encore moins d'empire, ce que lesdits pays limitrophes voulaient, c'était seulement qu'on n'aille pas enterrer chez eux, sans autorisation, cette nouvelle espèce d'immigrants forcés, et encore si on se contentait seulement d'enterrer, à la rigueur ce serait acceptable, mais on allait chez eux aussi pour tuer, assassiner, éliminer, liquider, car c'était au moment précis et fatidique où les malheureux traversaient la frontière, les pieds devant pour que la tête puisse se rendre compte de ce qui se passait dans le reste du corps, qu'ils décédaient, rendant le dernier soupir. Les deux camps valeureux sont face à face, mais cette fois non plus le sang ne coulera pas jusqu'au fleuve. Et dites-vous bien que ce ne fut pas voulu par les soldats de ce côté-ci, car eux avaient la certitude de ne pas mourir, même si une rafale de mitraillette les coupait en deux. Encore que, poussés par une curiosité scientifique plus que légitime, nous devrions nous demander comment les deux parties séparées survivraient au cas où l'estomac serait d'un côté et les intestins de l'autre. Quoi qu'il en soit, seul un fou à lier s'aviserait de tirer le premier. Et, dieu soit loué, personne ne tira. Pas même le fait que plusieurs soldats de l'autre camp eussent décidé de déserter dans l'eldorado où personne ne meurt n'eut d'autre conséquence que leur renvoi immédiat à leur lieu d'origine où un conseil de guerre les attendait déjà. Ce détail n'aura aucune incidence sur le déroulement de l'histoire riche en tribulations que nous relatons et nous n'en reparlerons plus, n'empêche que nous n'avons pas voulu le laisser enseveli dans l'obscurité de l'encrier. Le conseil de guerre aura probablement décidé a priori de ne pas tenir compte dans

72

ses délibérations du désir naïf de vie éternelle qui habite depuis toujours le cœur humain, Où cela nous mènerait-il, si nous nous mettions tous à vivre éternellement, oui, où cela nous mènerait-il, demandera l'accusation en recourant à la plus basse rhétorique, et la défense, inutile de le préciser, ne réussira pas à trouver une réponse à la hauteur de l'occasion, elle non plus ne savait pas où tout cela mènerait. Espérons qu'au moins les pauvres diables ne seront pas fusillés. Car alors nous serions fondés à dire qu'ils étaient allés chercher de la laine et étaient revenus prêts à être tondus.

Changeons de sujet. Lorsque nous avions parlé des soupçons des sergents et de leurs alliés sous-lieutenants et capitaines à propos d'une responsabilité directe de la maphia dans le transport des patients vers la frontière, nous avions indiqué que ces soupçons s'étaient vus confortés par un certain nombre d'événements ultérieurs. Le moment est venu d'en révéler la nature et le déroulement. À l'exemple de ce qu'avait fait la famille de petits agriculteurs qui avait inauguré le processus, la maphia traversa simplement la frontière et enterra les morts, percevant pour ce service de copieuses sommes d'argent. Avec une autre différence, c'est qu'elle opère sans prendre en considération la beauté des sites et sans se soucier de noter dans le carnet où l'opération est consignée les données topographiques et orographiques susceptibles d'aider ultérieurement les parents en larmes et repentants à retrouver la sépulture et à demander pardon au défunt. Or, point n'est besoin d'être doué d'une cervelle particulièrement stratégique pour comprendre que les armées alignées de l'autre côté des trois frontières étaient devenues un obstacle sérieux à une pratique mortuaire qui s'était effectuée jusqu'alors dans la sécurité la plus parfaite. La maphia ne serait pas ce qu'elle est si elle n'avait pas trouvé une solution au problème. Il est vraiment dommage, qu'on nous permette ce commentaire en marge, il est dommage que des intelligences aussi brillantes que celles qui dirigent ces organisations criminelles se soient écartées du droit chemin du respect de la loi et qu'elles aient désobéi au sage précepte biblique prescrivant de gagner son pain à la sueur de son front, mais les faits sont les faits, et même si nous répétons les paroles douloureuses du géant adamastor, ah, je ne sais comment conter mon ennui, nous ferons état ici de la ruse dont se servit la maphia pour surmonter une difficulté à laquelle, apparemment, personne ne voyait d'issue. Avant de poursuivre plus avant, il conviendra de préciser que le terme ennui, placé par le poète épique dans la bouche du malheureux géant, signifiait en ce temps-là seulement tristesse profonde, peine, chagrin, mais qu'ensuite et jusqu'à présent le vulgaire considéra, à juste titre, qu'était en train de se perdre un mot admirable pour exprimer des sentiments comme la répulsion, la répugnance, le dégoût, lesquels, comme chacun le reconnaîtra, n'ont rien à voir avec ceux qui ont été énoncés plus haut. Il faut user d'infiniment de précautions avec les mots, car ils changent d'avis comme les êtres humains. Évidemment, la ruse ne consista pas tout bonnement à remplir la saucisse, à la nouer et la mettre à sécher, il fallut réfléchir, dépêcher des émissaires pourvus de moustaches postiches et de chapeaux enfoncés sur l'œil, il fallut des télégrammes chiffrés, des dialogues sur des lignes téléphoniques secrètes et des téléphones rouges, des rencontres à minuit à des croisées de chemins, des billets laissés sous des pierres, tout ce dont nous nous étions déjà plus ou moins aperçus lors d'autres négociations, celles où l'on avait pour ainsi dire joué les agents de surveillance aux dés. Et l'on ne peut pas non plus imaginer que les transactions aient été tout simplement bilatérales, comme l'autre fois. En plus de la maphia du pays où personne ne meurt, participèrent également aux conversations les maphias des pays limitrophes, car c'était l'unique manière de sauvegarder l'indépendance de chaque organisation criminelle dans le cadre national où elle opérait et celle de son gouvernement respectif. Il ne serait pas acceptable, et ce serait même totalement condamnable, que la maphia d'un de ces pays se mette à négocier directement avec l'administration d'un autre pays. Malgré tout, les choses n'en étaient pas encore arrivées à ce point, le principe sacro-saint de la souveraineté nationale, aussi important pour les maphias que pour les gouvernements, a servi d'obstacle jusqu'à présent, à la façon d'une ultime pudeur. Ce qui est plus ou moins évident pour les gouvernements serait passablement douteux pour les organisations criminelles si nous ignorions la brutalité jalouse avec laquelle elles ont l'habitude de défendre leur territoire des ambitions hégémoniques de leurs collègues. Coordonner tout cela, concilier le général et le particulier, équilibrer les intérêts des uns et des autres, ne fut pas tâche facile, ce qui explique que durant deux longues et ennuyeuses semaines d'attente les soldats eussent passé leur temps à s'insulter par haut-parleurs tout en veillant à ne pas dépasser certaines limites, à ne pas exagérer dans le ton, de peur que les injures ne montent à la tête de quelque lieutenant-colonel susceptible et que la ville de troie ne se mette à brûler. Ce qui contribua le plus à compliquer et à retarder les négociations fut le fait qu'aucune des maphias des autres pays ne disposait d'agents de surveillance qu'elles puissent télécommander à leur guise, le moyen de pression irrésistible qui avait donné de si bons résultats ici leur faisant donc défaut. Bien que cet aspect obscur des négociations n'ait pas transpiré, sauf par le biais des rumeurs habituelles, il existe de fortes présomptions que les commandements intermédiaires des armées des pays limitrophes, avec la bénédiction indulgente des grades supérieurs de la hiérarchie, se soient laissé convaincre, dieu seul sait à quel prix, par l'argumentation des porte-parole des maphias locales incitant à fermer les yeux sur les manœuvres indispensables, allées et venues, avancées et reculades, inhérentes à la solution du problème. N'importe quel enfant eût pu concevoir l'idée, mais pour lui donner corps il fallait qu'arrivé à l'âge dit de raison il aille frapper à la porte de la section de recrutement de la maphia pour dire, C'est la vocation qui m'amène ici, qu'il en soit fait selon votre volonté.

Les amoureux de la concision, du mode laconique, de l'économie de langage, se demanderont sûrement pourquoi, vu la simplicité de l'idée, il aura fallu tout ce raisonnement pour en arriver enfin au point critique. La réponse elle aussi est simple et nous allons la donner en recourant à un terme actuel, ultra-moderne, avec lequel nous espérons compenser les archaïsmes moisis dont certains penseront probablement que nous avons saupoudré ce récit, C'est pour brosser le background. En disant background, tout le monde sait de quoi il s'agit, mais les doutes abonderaient si, au lieu de background, nous avions dit platement toile de fond, cet archaïsme détestable et de plus peu fidèle à la vérité, car background n'est pas seulement la toile de fond, c'est le nombre incalculable de plans existant entre le sujet observé et la ligne d'horizon. Il vaudrait mieux parler alors de tenants et aboutissants. Exactement, tenants et aboutissants, et maintenant que nous avons la question bien en main, le moment est enfin venu de révéler en quoi consista la ruse de la maphia pour éviter les conflits militaires qui ne pourraient que nuire à ses intérêts. Un enfant, nous l'avons déjà dit, aurait pu concevoir l'idée. Laquelle consistait à transporter le patient de l'autre côté de la frontière et, une fois celui-ci décédé, à revenir en arrière et à l'enterrer dans le sein maternel de sa terre natale. Un échec et mat parfait, au sens le plus rigoureux, exact et précis du terme. Comme on vient de le voir, le problème était résolu sans que l'une quelconque des parties en cause ne perde la face. Les quatre armées, désormais sans raison pour stationner à la frontière sur le pied de guerre, pouvaient se retirer pacifiquement, puisque ce que la maphia se proposait de faire, c'était simplement d'entrer et de ressortir. Rappelons une fois de plus que les patients perdaient la vie à l'instant même où ils étaient transportés de l'autre côté, désormais ils n'auront plus besoin de rester là-bas une minute de plus, juste le temps de mourir et ce temps-là a toujours été le plus bref de tous, un soupir et c'est fini. On peut fort bien imaginer ce qui se passa en l'occurrence, une chandelle qui soudain s'éteint sans qu'il faille souffler dessus. Jamais la plus douce des euthanasies ne sera aussi aisée et suave. Le plus intéressant dans cette situation nouvelle, c'est que la justice du pays dans lequel on ne meurt pas n'a plus aucune raison d'agir judiciairement contre les fossoyeurs, à supposer qu'elle le veuille effectivement, et pas uniquement parce qu'elle est liée par le gentleman's agreement que le gouvernement a dû conclure avec la maphia. On ne peut pas les accuser d'homicide parce que, techniquement parlant, il n'y a pas d'homicide en réalité et parce que l'acte censurable, que celui qui en est capable le qualifie autrement, est commis dans des pays étrangers, on ne peut pas non plus leur reprocher d'enterrer des morts, puisque c'est leur destin, et on devrait être reconnaissant que quelqu'un ait décidé de se charger d'un travail à tous égards pénible, physiquement aussi bien que psychologiquement. Tout au plus pourrait-on s'élever contre le fait qu'aucun médecin n'ait été présent pour certifier le décès, que l'enterrement n'ait pas satisfait aux prescriptions d'une inhumation correcte et alléguer, comme si c'était inédit, que la sépulture n'est pas identifiée et qu'on n'en retrouvera sûrement plus l'emplacement quand la première averse violente tombera et que de tendres et joyeuses plantes surgiront de l'humus créateur. Ayant pesé les difficultés et craignant de tomber dans le marécage des recours dans lequel, experts en roublardise, les avocats astucieux de la maphia la plongeraient sans douleur ni pitié, la loi décida d'attendre patiemment et de voir ce qu'il adviendrait des modes. C'était indéniablement l'attitude la plus prudente. Le pays se trouve dans une agitation sans précédent, le pouvoir dans la confusion, les valeurs dans un processus accéléré d'inversion, la perte du respect civique touche toutes les couches de la société, dieu lui-même ne sait probablement pas à quoi tout cela nous mènera. Le bruit court que la maphia est en train de négocier un autre gentleman's agreement avec l'industrie funéraire afin de rationaliser les efforts et de répartir les tâches, ce qui signifie en langage courant qu'elle se charge de fournir les macchabées, les pompes funèbres apportant les moyens et la technique pour les enterrer. On prétend aussi que la proposition de la maphia fut accueillie à bras ouverts par les pompes funèbres, fatiguées de gaspiller leur savoir millénaire, leur expérience, leur know-how, leurs chœurs de pleureuses, à organiser des funérailles pour des chiens, des chats et des canaris, parfois un cacatoès, une tortue catatonique, un écureuil domestiqué, un lézard de compagnie que son maître avait l'habitude de porter sur l'épaule. Nous ne sommes jamais tombés aussi bas, disaient-ils. Maintenant l'avenir s'annonçait propice et radieux, l'espoir refleurissait comme un massif de jardin, on pouvait même dire, hasardant un paradoxe évident, que pour l'industrie des enterrements une nouvelle vie avait vu le jour. Et tout cela grâce aux bons offices et aux coffres-forts inépuisables de la maphia. Elle subventionna les établissements de pompes funèbres de la capitale et d'autres villes du pays pour qu'ils créent des filiales, en échange de compensations, bien entendu, dans les localités les plus proches des frontières, elle prit des dispositions pour qu'il y ait toujours un médecin qui attende le défunt lorsque celui-ci revenait sur le territoire national et avait besoin de quelqu'un pour déclarer qu'il était bien mort, elle conclut des accords avec les administrations municipales pour que les enterrements à sa charge aient la priorité absolue, quelle que soit l'heure du jour ou de la nuit où c'était plus commode pour elle. Tout cela coûtait fort cher, naturellement, mais le négoce continuait à en valoir la peine, maintenant que les frais annexes et les services supplémentaires représentaient le gros de la facture. Soudain, sans préavis, le robinet d'où avait jailli le flux généreux des patients terminaux se tarit. Il semblait que les familles, saisies par un sursaut de conscience, s'étaient donné le mot, que l'envoi d'êtres chers au loin pour qu'ils y aillent mourir était fini, et que si, au sens figuré, nous avions mangé leur chair, il nous faudrait aussi maintenant manger leurs os, que nous n'étions pas là seulement pour les heures agréables, quand lui ou elle était vigoureux et en bonne santé, mais aussi pour les heures mauvaises et même très mauvaises, quand elle ou lui n'était plus qu'une loque malodorante qu'il était inutile de laver. Les pompes funèbres passèrent de l'euphorie au désespoir, c'était de nouveau la ruine, de nouveau l'humiliation des enterrements de canaris et de chats, de chiens et du reste de la ménagerie, tortue, cacatoès, écureuil, pas de lézard, non, parce que aucun autre lézard ne se laissait porter sur l'épaule de son maître. Tranquille, sans perdre sa sérénité, la maphia alla voir ce qui se passait. C'était simple. Les familles lui dirent, presque toujours à demi-mot, donnant simplement à entendre, qu'une chose était le temps de la clandestinité, quand les êtres chers étaient transportés en cachette, quand il faisait nuit noire et que les voisins n'avaient pas besoin de savoir s'ils étaient toujours sur leur lit de douleur ou s'ils s'en étaient évaporés. Il était facile de mentir alors, disaient-ils d'un air peiné, Le pauvre, il est là, quand la voisine demandait sur le palier de l'escalier, Et comment va votre cher grand-père. Maintenant tout serait différent, il y aurait un certificat de décès, des pierres tombales avec des noms et des prénoms dans les cimetières, au bout de quelques petites heures les voisins envieux et médisants sauraient que le cher grand-père était mort de la seule façon possible et que cela signifiait que sa propre famille cruelle et ingrate l'avait expédié par-delà la frontière.

Ça nous fait vraiment honte, avouèrent les familles. La maphia écouta, écouta et dit qu'elle allait réfléchir. Réflexion qui ne prit pas vingt-quatre heures. Suivant l'exemple du vieillard à la page quarante-quatre, les morts avaient voulu mourir, par conséquent ils seraient enregistrés sur le certificat de décès comme s'étant suicidés. De nouveau, le robinet coula.

Dans le pays où personne ne meurt, tout ne fut pas aussi sordide que cela vient d'être relaté et la maphia avide ne réussit pas à planter ses griffes crochues dans toutes les couches d'une société partagée entre l'espoir de vivre toujours et la peur de ne jamais mourir, corrompant les âmes, soumettant les corps, traînant dans la boue les rares bons principes d'antan, quand une enveloppe contenant quoi que ce soit fleurant la subornation était immédiatement renvoyée à son expéditeur avec une réponse ferme et claire, du genre, Achetez donc des jouets à vos enfants avec cet argent, ou, Vous vous êtes sûrement trompé de destinataire. La dignité était alors une forme de fierté à la portée de toutes les classes sociales. Malgré tout, malgré les faux suicides et les menées douteuses à la frontière, l'esprit d'ici continuait à planer au-dessus des eaux, pas celles de la mer océane qui baignait d'autres terres lointaines, mais au-dessus des lacs et des fleuves, des rivières et des ruisseaux, des flaques laissées au passage par la pluie, du fond lumineux des puits où l'on perçoit le mieux la hauteur à laquelle se trouve le ciel et, aussi extraordinaire que cela paraisse, également au-dessus de la surface tranquille des aquariums. Ce fut précisément au moment où, distrait, il regardait le poisson rouge qui venait ouvrir la bouche à fleur d'eau et où il se demandait, déjà moins distrait, depuis combien de temps il ne l'avait pas renouvelée, car il savait parfaitement ce que voulait dire le poisson lorsqu'il montait plusieurs fois pour rompre la très fine pellicule où l'eau se confond avec l'air, ce fut précisément à cet instant révélateur que se présenta à l'apprenti philosophe, dans toute sa clarté et sa nudité, la question qui serait à l'origine de la polémique la plus passionnante et enflammée de toute l'histoire connue de ce pays où personne ne meurt. Voici la question que l'esprit qui plane au-dessus des eaux posa à l'apprenti philosophe, T'es-tu jamais demandé si la mort est la même pour tous les êtres vivants, qu'ils soient des animaux, y compris l'être humain, ou des végétaux, y compris la plante rampante qu'on foule aux pieds ou le sequoiadendron giganteum avec ses cent mètres de hauteur, est-ce la même mort qui tue un homme qui sait qu'il va mourir et un cheval qui jamais ne le saura. Et il demanda aussi, À quel moment meurt le ver à soie après s'être enfermé dans le cocon et en avoir refermé la porte à double tour, comment une vie a-t-elle pu naître de la mort d'une autre vie, la vie du papillon de la mort de la larve, et être la même chose différemment, ou le ver à soie n'est-il pas mort parce qu'il est vivant dans le papillon. L'apprenti philosophe répondit, Le ver à soie n'est pas mort, c'est le papillon qui mourra après avoir pondu ses œufs, Je savais déjà cela avant que tu ne sois né, dit l'esprit qui plane au-dessus des eaux de l'aquarium, le ver à soie n'est pas mort, aucun cadavre n'est resté dans le cocon après que le papillon en est sorti, tu l'as dit, l'un est issu de la mort de l'autre, Cela s'appelle métamorphose, tout le monde sait cela, dit l'apprenti philosophe avec condescendance, Voilà un mot qui sonne bien, qui est rempli de promesses et de certitudes, tu dis métamorphose et tu poursuis ton chemin, on dirait que tu ne vois pas que les mots sont des étiquettes collées sur les choses, les mots ne sont pas les choses, tu ne sauras jamais comment sont les choses, pas même quels sont leurs vrais noms, car les noms que tu leur donnes ne sont que cela, les noms que toi tu leur donnes, Qui de nous deux est le philosophe, Ni toi ni moi, toi tu n'es qu'un apprenti ès philosophie et moi je suis seulement l'esprit qui plane au-dessus de l'eau de l'aquarium, Nous parlions de la mort, Pas de la mort, des morts, j'ai demandé pourquoi les êtres humains ne meurent pas alors que les autres animaux meurent, pourquoi la non-mort des uns n'est pas la non-mort des autres, lorsque la vie de ce petit poisson rouge prendra fin, et je dois te prévenir que cela ne tardera pas si tu ne changes pas son eau, seras-tu capable de reconnaître dans sa mort cette autre mort dont tu sembles être à l'abri actuellement, sans savoir pour quelle raison, Avant, du temps où l'on mourait, les rares fois où je me suis trouvé devant des personnes qui étaient décédées, je n'ai jamais imaginé que leur mort soit la même que celle dont je mourrai un jour, Parce que chacun de vous a sa propre mort, vous la transportez avec vous dans un endroit secret depuis que vous êtes né, elle t'appartient et tu lui appartiens, Et les animaux, et les végétaux, Je suppose qu'il en est de même pour eux, Chacun avec sa mort, Oui, Alors les morts sont nombreuses, aussi nombreuses que les êtres vivants qui ont existé, qui existent et qui existeront, D'une certaine façon, oui, Tu te contredis, s'exclama l'apprenti philosophe, Les morts de chacun sont, pour ainsi dire, des morts à durée de vie limitée, des morts subalternes, elles meurent avec celui qu'elles ont tué, mais au-dessus d'elles il y a une mort supérieure, qui s'occupe de l'ensemble des êtres humains depuis l'aube de l'espèce, Il y a donc une hiérarchie, Je suppose que oui, Et pour les animaux, depuis le protozoaire le plus élémentaire jusqu'à la baleine bleue, Également, Et pour les végétaux, depuis le bactériocyte jusqu'au séquoia géant, cité précédemment en latin à cause de sa taille, D'après ce que je crois savoir, il en est de même pour eux tous, C'est-à-dire que

83

chacun a sa propre mort, personnelle et intransmissible, Parfaitement, Et ensuite, il y a encore deux morts générales, une pour chaque règne de la nature, Exactement, Et la distribution hiérarchique des compétences déléguées par thanatos s'arrête-t-elle là, demanda l'apprenti philosophe, Selon ce que mon imagination parvient à entrevoir, il y a encore une autre mort, l'ultime, la suprême, Laquelle, Celle qui détruira l'univers, celle qui mérite véritablement le nom de mort, encore que lorsqu'elle adviendra personne ne sera plus là pour prononcer son nom, les autres morts dont nous avons parlé jusqu'à présent ne sont que des détails infimes, insignifiants, Donc, la mort n'est pas unique, conclut inutilement l'apprenti philosophe, C'est ce que je me tue à t'expliquer, En d'autres termes, une mort, la nôtre, a suspendu son activité, mais les autres, celles des animaux et des végétaux, continuent à opérer, elles sont indépendantes, chacune œuvre dans son secteur, Te voilà enfin convaincu, Oui, Alors, va l'annoncer à tout le monde, dit l'esprit qui planait au-dessus de l'eau de l'aquarium. Et ce fut ainsi que la polémique commença.

Le premier argument contre la thèse hardie de l'esprit qui planait au-dessus de l'eau de l'aquarium fut que son porte-parole n'était pas un philosophe bon teint, mais un simple apprenti qui n'avait jamais dépassé les maigres rudiments d'un manuel, presque aussi élémentaires que le protozoaire lui-même, et comme si cela ne suffisait pas, puisés ici et là, au petit bonheur la chance, de bric et de broc, sans fil ni aiguille pour les réunir entre eux, avec des couleurs et des formes qui juraient entre elles, bref une philosophie de ce qu'on pourrait appeler l'école arlequinesque ou éclectique. Cependant la question n'était pas là. Il est certain que l'essentiel de la thèse avait été l'œuvre de l'esprit qui planait au-dessus de l'eau de l'aquarium, toutefois, il suffira de relire le dialogue reproduit sur les deux pages précédentes pour reconnaître que la contribution de l'apprenti philosophe a influencé elle aussi la gestation de l'idée intéressante, au moins en sa qualité d'auditeur, facteur dialectique indispensable depuis socrate, comme chacun sait. En tout cas, une chose ne pouvait être niée et c'était que les êtres humains ne mouraient pas, mais les autres animaux, eux, mouraient. Quant aux végétaux, n'importe qui, même sans être ferré en botanique, reconnaîtrait sans mal que, comme par le passé, ils naissaient, verdissaient, puis se fanaient, se desséchaient, et si l'on ne devait pas appeler mourir cette phase finale, avec ou sans pourriture, eh bien, que quelqu'un vienne nous donner une meilleure explication. Le fait que les gens d'ici ne décèdent pas, mais que tous les autres êtres vivants meurent, disaient certains contradicteurs, doit être considéré comme la preuve que la normalité n'a pas encore complètement disparu du monde, et la normalité, inutile de le préciser, c'est purement et simplement mourir, le moment venu. Mourir et cesser de discuter la question de savoir si notre mort nous appartenait déjà à notre naissance, ou si elle errait dans le coin et nous avait repérés. Dans les autres pays, les gens continuent à mourir et il ne semble pas que leurs habitants soient plus malheureux pour autant. Au début, naturellement, il y eut de la jalousie, des conspirations, quelques cas d'espionnage scientifique pour tenter de découvrir comment nous avions fait, mais au vu des problèmes qui nous sont tombés dessus depuis lors, nous pensons que le sentiment de la majeure partie de la population de ces contrées pourrait se traduire par les mots suivants, Nous l'avons échappé belle.

L'église, c'était inévitable, se lança dans le débat, montée sur son habituel cheval de bataille, à savoir que les desseins de dieu sont ce qu'ils furent toujours, impénétrables, ce qui, en termes courants et légèrement entachés d'impiété verbale, veut dire qu'il nous est interdit d'épier par la fente de la porte du ciel pour voir ce qui se passe là-haut. L'église disait aussi que la suspension temporaire et plus ou moins durable des causes et effets naturels n'était pas vraiment une nouveauté, il suffisait de se souvenir des miracles infinis dont dieu avait permis l'accomplissement au cours des vingt derniers siècles, la seule différence avec ce qui se passe maintenant résidant dans l'ampleur du prodige, car ce qui concernait auparavant de préférence l'individu, de par la grâce de sa foi personnelle, a été remplacé par une attention globale, non personnalisée, un pays tout entier, pour ainsi dire, propriétaire de l'élixir d'immortalité, et pas seulement les croyants qui s'attendent logiquement à être spécialement distingués, mais aussi les athées, les agnostiques, les hérétiques, les relaps, les incroyants de tout poil, les adeptes d'autres religions, les bons, les mauvais et les pires, les vertueux et les maphieux, les bourreaux et les victimes, les gendarmes et les voleurs, les assassins et les donneurs de sang, les fous et les sains d'esprit, tous, tous sans exception, étaient en même temps les témoins et les bénéficiaires du plus haut prodige jamais observé dans l'histoire des miracles, la vie éternelle d'un corps éternellement unie à la vie éternelle de l'âme. La hiérarchie catholique, de l'évêque jusqu'au sommet, ne trouva aucun sel aux plaisanteries mystiques de certains de ses cadres moyens assoiffés de merveilles et le fit savoir par le truchement d'un message très ferme aux fidèles dans lequel, en plus de l'inévitable référence aux desseins impénétrables de dieu, elle insistait sur l'idée déjà exprimée au pied levé par le cardinal dès les premières heures de la crise dans sa conversation téléphonique avec le premier ministre, lorsque, s'imaginant pape et demandant à dieu de lui pardonner sa présomption, il avait proposé le lancement immédiat d'une nouvelle thèse, celle de la mort différée, se fiant à la sagesse du temps si vantée, cette sagesse qui nous dit qu'il y aura toujours un lendemain quelconque pour résoudre les problèmes qui aujourd'hui paraissaient insolubles. Dans une lettre au directeur de son journal favori, un lecteur se déclarait prêt à accepter l'idée que la mort avait décidé de s'ajourner elle-même, mais il demandait très respectueusement qu'on lui dise comment l'église l'avait appris et, si elle était vraiment bien informée, elle devrait savoir alors combien de temps durerait l'ajourne-ment. Dans une note de la rédaction, le journal rappela au lecteur qu'il s'agissait uniquement d'une proposition d'action, au demeurant non mise en œuvre jusqu'à maintenant, ce qui voulait dire, et c'était la conclusion, que l'église en savait autant que nous en la matière, c'est-à-dire rien. Ensuite quel-qu'un écrivit un article demandant que le débat en revienne à la question qui l'avait déclenché, celle de savoir si oui ou non la mort était une ou plusieurs, si elle était singulière, mort, ou plurielle, morts, et, puisque j'ai la plume à la main, j'en profite pour m'élever contre le fait que l'église, avec ses positions ambiguës, veut gagner du temps sans se compromettre, et que donc, comme à son habitude, elle éclisse la patte de la gre-nouille ou elle ménage la chèvre et le chou. La première de ces deux expressions populaires provoqua de la perplexité parmi les journalistes qui ne l'avaient jamais lue ni entendue de leur vie. Placés devant cette énigme, toutefois, et aiguillonnés par une soif salutaire de compétition professionnelle, ils sortirent de leurs étagères les dictionnaires dont ils se servaient parfois à l'heure de rédiger leurs articles et leurs reportages et tentèrent de découvrir ce que pouvait bien faire là ce batracien. Ils ne trouvèrent rien ou plutôt ils découvrirent, certes, la grenouille, la patte, le verbe éclisser, mais ce qu'ils ne réussirent pas à dénicher ce fut le sens profond que ces trois mots ainsi assemblés devaient obligatoirement avoir. Jusqu'à ce que quel-qu'un eût l'idée d'appeler un vieux portier venu de la province il y avait bien longtemps et dont tous se moquaient car, après avoir vécu si longtemps en ville, il parlait encore comme s'il était auprès de l'âtre en train de raconter des histoires à ses petits-enfants. Ils lui demandèrent s'il connaissait cette expression et il répondit que bien entendu il la connaissait, ils lui demandèrent s'il savait ce qu'elle signifiait et il répondit que bien entendu il le savait. Alors, expliquez-nous donc ce qu'elle veut dire, dit le rédacteur en chef, Éclisser, messieurs, c'est mettre des attelles à des os cassés, Ça nous le savons, ce que nous voulons que vous nous disiez, c'est ce que cela a à voir avec la grenouille, Ça a tout à voir, personne ne réussit à mettre des attelles à une grenouille, Pourquoi, Parce qu'elle n'arrête pas de remuer les pattes, Et ça veut dire quoi, Qu'il est inutile d'essayer, elle ne se laisse pas faire, Mais ce n'est sûrement pas le sens de l'expression employée par le lecteur, On l'emploie aussi quand on met trop de temps à finir une tâche, ou quand on fait exprès de traînasser, alors on éclisse la patte de la grenouille, Donc, l'église traînasse, elle éclisse la patte de la grenouille, Oui, monsieur, Donc, le lecteur qui a écrit ça avait entièrement raison, Je crois bien que oui, moi je suis un simple portier, Vous nous avez beaucoup aidés, Vous ne voulez pas que je vous explique l'autre phrase, Laquelle, Celle de la chèvre et du chou, Non, celle-là nous la connaissons bien, nous la pratiquons tous les jours.

La polémique sur la mort et les morts, si bien inaugurée par l'esprit qui plane au-dessus de l'eau de l'aquarium et par l'apprenti philosophe, aurait fini en comédie ou en farce si n'avait paru l'article de l'économiste. Bien que le calcul actuariel comme il le reconnaissait lui-même ne fût pas sa spécialité, il se considérait suffisamment calé en la matière pour se hasarder à demander publiquement avec quel argent, dans une vingtaine d'années plus ou moins, le pays pensait pouvoir payer les pensions aux millions de personnes qui se trouveraient à la retraite pour cause d'invalidité permanente et qui y resteraient jusqu'à la consommation des siècles, et auxquels s'adjoindraient implacablement d'autres millions, et peu importe que la progression soit arithmétique ou géométrique, la catastrophe sera de toute façon garantie, ce sera le chaos, le foutoir, la banqueroute de l'état, le sauve-qui-peut, mais personne ne sera sauvé. Devant ce tableau terrifiant, les métaphysiciens n'eurent pas d'autre choix que de leur clore le bec, l'église fut forcée de s'en retourner à la verroterie fatiguée de ses chapelets et de continuer à attendre la consommation des siècles, laquelle, d'après ses visions eschatologiques, devait tout résoudre d'un seul coup. Effectivement, pour en revenir aux raisons inquié-tantes de l'économiste, les calculs n'étaient pas difficiles à faire, voyons un peu, si une fraction de la population active cotise à la sécurité sociale, si une autre fraction de la population non active est à la retraite, soit pour une raison d'âge, soit d'invalidité, et par conséquent reçoit de l'autre sa pension de retraite, et la population active étant en diminution constante par rapport à la fraction inactive qui, elle, est en croissance continuelle absolue, on ne comprend pas que quelqu'un n'ait pas compris aussitôt que la disparition de la mort, qui semblait un summum, un apogée, le bonheur suprême, n'était finale-ment pas une bonne chose. Il fallut que les philosophes et autres praticiens de l'abstraction se trouvassent déjà à moitié égarés dans la forêt de leurs propres élucubrations sur le presque et le zéro, façon plébéienne d'exprimer l'être et le néant, pour que le sens commun se présentât prosaïquement, papier et crayon à la main, afin de démontrer par a + b + c qu'il y avait des questions beaucoup plus urgentes à prendre en considération. Comme il était à prévoir, connaissant les côtés obscurs de la nature humaine, dès la parution de l'article alar-mant de l'économiste, l'attitude de la population saine envers les patients terminaux commença à se modifier pour le pire. Jusque-là, bien que tous fussent d'accord sur les boulever-sements et incommodités en tout genre que causaient ces patients, ils pensaient que le respect dû aux vieillards et aux

89

malades en général constituait un des devoirs essentiels de toute société civilisée et donc, prenant souvent leur mal en patience, ils ne leur refusaient pas les soins nécessaires et même, dans certains cas insignes, ils les adoucissaient avec une cuillerée de compassion et d'amour avant d'éteindre la lumière. Il est vrai qu'il existe aussi, comme nous ne le savons que trop bien, des familles sans cœur qui, se laissant entraîner par leur inhumanité incurable, allèrent jusqu'à engager les services de la maphia pour se défaire des misérables dépouilles humaines qui agonisaient interminablement entre deux draps imbibés de sueur et souillés d'excrétions naturelles, mais ces familles-là méritent toute notre réprobation, de même que celle qui figure dans la fable mille fois racontée du bol en bois, bien que, heureusement, comme on le verra, elle ait échappé à l'exécration au dernier moment grâce au cœur compatissant d'un enfant de huit ans. La fable se raconte en peu de mots et nous la consignons ici pour édifier les nouvelles générations qui ne la connaissent pas, dans l'espoir qu'elles ne se gausseront pas de son côté naïf et sentimental. Donc, attention à la leçon de morale. Il était une fois, dans l'antique pays des fables, une famille constituée d'un père, d'une mère, d'un grand-père qui était le père du père, et de cet enfant déjà mentionné, un garçonnet de huit ans. Or il se trouvait que le grand-père était déjà fort âgé, ses mains tremblaient et il laissait tomber la nourriture de sa bouche quand tous étaient à table, ce qui irritait grandement son fils et sa bru qui n'arrêtaient pas de lui dire de faire attention, mais le pauvre vieux avait beau s'escrimer, il ne parvenait pas à maîtriser son tremblement, surtout si on le gourmandait, avec pour résultat qu'il salissait à tous les coups la nappe ou laissait la nourriture tomber par terre, sans parler de la serviette nouée autour de son cou qu'il fallait changer trois fois par jour, au petit déjeuner, au déjeuner et au dîner. Les choses en étaient à ce point et sans aucune perspective d'amélioration, lorsque le fils décida de mettre fin à cette situation insupportable. Il apporta un bol en bois et dit à son père, À partir d'aujourd'hui, tu mangeras ici, assis sur le seuil de la porte, car ce sera plus facile à nettoyer et ta bru n'aura plus autant de nappes et de serviettes sales à laver. Et il en fut ainsi. Au petit déjeuner, déjeuner et dîner, le vieillard était assis seul sur le seuil de la porte, portant tant bien que mal la nourriture à sa bouche, la moitié se perdait en chemin, une partie de l'autre moitié lui coulait le long du menton et ce qui descendait finalement par ce que le vulgum pecus appelle le canal de la soupe était bien peu de chose. Le petit-fils ne paraissait pas se soucier du traitement indigne dont son grand-père était l'objet, il le regardait, puis regardait son père et sa mère, et continuait à manger comme si de rien n'était. Jusqu'au jour où, revenant du travail, le père vit son fils travailler un morceau de bois avec un couteau et pensa, comme c'était normal et courant en ces époques lointaines, qu'il se fabriquait un jouet de ses propres mains. Le lendemain, cependant, il se rendit compte qu'il ne s'agissait pas d'une petite voiture, en tout cas on ne voyait nul endroit où insérer des roues, et il demanda, Que fabriques-tu donc. Le gamin fit semblant de n'avoir pas entendu et il continua à évider le morceau de bois avec le couteau, cela se passait au temps où les parents s'effrayaient moins facilement et ne se précipitaient pas pour retirer des mains de leurs rejetons un instrument aussi utile pour la fabrication des jouets. Tu n'entends pas, que fabriques-tu donc avec ce bout de bois, répéta le père et le fils, sans lever les yeux de son ouvrage, répondit, Je fabrique un bol pour quand tu seras vieux et que tes mains trembleront, pour quand on te fera manger sur le seuil de la porte, comme grand-papa. Saintes paroles. Les yeux du père se dessillèrent, il vit la vérité et sa lumière et, à l'instant même, il s'en fut demander pardon à son géniteur. Quand arriva l'heure du dîner il l'aida lui-même à s'asseoir sur sa

91

chaise, il porta de ses propres mains la cuillère à la bouche de son père, car lui pouvait encore le faire alors que son papa chéri ne le pouvait plus. L'histoire ne dit pas ce qu'il advint ensuite, mais nous savons de science très certaine que, s'il est vrai que le travail du garçonnet ne fut qu'à moitié achevé, il n'en est pas moins vrai que le morceau de bois existe toujours. Personne ne voulut le brûler ni le jeter, afin que la leçon de l'exemple ne tombe pas dans l'oubli ou au cas où quelqu'un voudrait un jour terminer l'ouvrage, éventualité nullement improbable si l'on considère l'énorme capacité de survie des fameux côtés obscurs de la nature humaine. Comme cela fut déjà dit, tout ce qui peut arriver arrivera, c'est juste une question de temps, et si nous ne le voyons pas advenir de notre vivant, ce sera parce que nous n'aurons pas vécu assez longtemps. À ce qu'il semble, et pour qu'on ne nous accuse pas de peindre tout avec les couleurs de la partie gauche de la palette, certaines personnes pensent qu'une adaptation télévisuelle de ce conte aimable, après qu'un journal l'aura recueilli sur les étagères poussiéreuses de la mémoire collective et en aura secoué les toiles d'araignées, serait susceptible de réimplanter dans la conscience anémiée des familles le culte des valeurs éthérées de la spiritualité dont la société se nourrissait dans le passé, en un temps où le vil matérialisme qui règne aujourd'hui ne s'était pas encore emparé de volontés que nous imaginions fortes et qui finalement étaient l'image incurable d'une faiblesse morale affligeante. Gardons pourtant l'espoir. Au moment où cet enfant apparaîtra à l'écran, soyons assurés que la moitié de la population du pays courra chercher un mouchoir pour essuyer ses larmes et que l'autre moitié, peut-être d'un tempérament plus stoïque, les laissera couler en silence le long de son visage afin que l'on puisse mieux voir que le remords du mal commis ou toléré n'est pas toujours un vain mot. Plaise au ciel qu'il ne soit pas trop tard pour sauver les grands-pères.

Inopinément, avec une absence déplorable du sens de l'à-propos, les partisans de la république décidèrent de profiter de cette occasion délicate pour faire entendre leur voix. Ils n'étaient pas nombreux, ils n'étaient même pas représentés au parlement bien qu'ils fussent organisés en parti politique et qu'ils se présentassent régulièrement aux élections. Ils se targuaient cependant d'exercer une certaine influence sociale, surtout dans les milieux artistiques et littéraires où ils faisaient circuler de temps à autre des manifestes en général bien rédigés, mais invariablement anodins. Depuis que la mort avait disparu, ils n'avaient pas donné signe de vie, même pas, comme on aurait pu s'y attendre d'une opposition qui se prétend frontale, pour réclamer un éclaircissement des rumeurs sur la participation de la maphia au trafic ignoble des malades terminaux. À présent, profitant du trouble dans lequel le pays était plongé, partagé qu'il était entre la vanité de se savoir unique sur toute la planète et l'inquiétude de ne pas être comme tout le monde, les républicains soulevaient rien moins que la question du régime. Opposés, évidemment, à la monarchie, ennemis du trône par définition, ils pensaient avoir découvert un nouvel argument en faveur de l'instauration nécessaire et urgente de la république. Ils prétendaient qu'avoir à la tête du pays un roi immortel était contre la logique la plus ordinaire et que même si demain le roi décidait d'abdiquer pour raison d'âge ou de ramollissement de ses facultés mentales, il continuerait à être roi, le premier d'une succession infinie d'intronisations et d'abdications, une séquence interminable de rois couchés dans leur lit en attendant une mort qui jamais ne viendrait, une enfilade de rois à demi vivants et à demi morts qui, à moins qu'on ne les installe dans les couloirs du palais, finiraient par remplir et faire déborder le panthéon où leurs prédécesseurs mortels avaient été accueillis et n'étaient déjà plus qu'os détachés de leurs gonds ou restes momifiés et moisis. Ce serait bien plus logique d'avoir un président de la république dont le mandat, à la rigueur renouvelable une seule fois, aurait une échéance fixe, et ensuite qu'il se dépatouille comme il peut, qu'il vaque à ses propres affaires, qu'il donne des conférences, qu'il écrive des livres, qu'il participe à des congrès, à des colloques, à des rencontres, qu'il harangue à des tables rondes, qu'il fasse le tour du monde en quatre-vingts réceptions, qu'il opine sur la longueur des jupes quand elles seront de nouveau à la mode et sur la diminution de l'ozone dans l'atmosphère s'il y a toujours une atmosphère, bref, qu'il se débrouille. Tout plutôt que de lire tous les jours dans les journaux et d'entendre à la télévision et à la radio le bulletin médical toujours identique, ni aggravation ni amélioration, des hospitalisés dans les infirmeries royales, lesquelles, il convient de le signaler, après avoir été agrandies déjà deux fois, seraient sur le point de l'être une troisième fois. Le pluriel d'infirmerie figure ici pour indiquer que, comme cela arrive toujours dans des établissements hospitaliers ou assimilés, les hommes sont séparés des femmes, par conséquent rois et princes d'un côté, reines et princesses de l'autre. Les républicains venaient maintenant défier le peuple d'assumer les responsabilités qui lui incombaient, de prendre son destin en main, d'inaugurer une vie différente et d'ouvrir une nouvelle voie fleurie menant à un avenir radieux. Cette fois, l'effet du manifeste ne se borna pas à toucher les artistes et les écrivains, d'autres couches sociales se montrèrent réceptives à l'image heureuse de la voie fleurie et à l'évocation d'un avenir radieux, avec pour résultat une multiplication absolument hors du commun d'adhésions de nouveaux militants disposés à se lancer dans une aventure qui était déjà historique avant qu'on ne sache si elle le deviendrait réellement. Malheureusement, dans les jours qui suivirent, les manifestations verbales d'enthousiasme civique des nouveaux adhérents à ce républicanisme prospectif et prophétique ne furent pas toujours aussi respectueuses que la bonne éducation et une saine coexistence démocratique l'exigeaient. Certaines dépassèrent même les bornes de la grossièreté la plus offensante, comme dire par exemple en parlant des altesses royales que le peuple n'était pas disposé à sustenter des bêtes attachées à des anneaux ni à nourrir des ânes avec de la brioche. Toutes les personnes de bon goût furent d'accord pour considérer ces paroles inadmissibles et même impardonnables. Il aurait suffi de dire que les coffres de l'état ne pouvaient continuer à financer les dépenses en croissance constante de la maison royale et de son entourage, et tout le monde aurait compris. Cela correspondait à la vérité et ce n'était pas insultant.

L'attaque violente des républicains, mais surtout les prophéties inquiétantes véhiculées dans l'article sur le fait inévitable que dans un avenir très proche lesdits coffres de l'état ne seraient plus en mesure de payer les pensions de vieillesse et d'invalidité indéfiniment poussèrent le roi à dire au premier ministre qu'il fallait qu'ils aient une conversation franche en tête à tête, sans magnétophones ni témoins. Le premier ministre se présenta, s'enquit de la santé des personnes royales, notamment de celle de la reine mère, sur le point de mourir au dernier nouvel an, et qui, finalement, comme d'autres gens, respirait encore treize fois par minute, quoique très peu d'autres signes de vie fussent perceptibles dans son corps prostré sous le baldaquin du lit. Sa majesté remercia, répondit que la reine mère supportait son calvaire avec la dignité inhérente au sang qui coulait encore dans ses veines, puis il passa aux questions inscrites à l'ordre du jour, la première étant la déclaration de guerre des républicains. Je ne comprends pas ce qui passe par la tête de ces gens-là, dit-il, le pays est plongé dans la plus terrible crise de son histoire et eux nous parlent de changement de régime, Moi, je ne me ferais pas de souci, sire, ils profitent simplement de la situation pour diffuser ce qu'ils appellent des propositions de gouvernement, au fond ils ne sont que de pauvres pêcheurs en eau trouble, Avec une absence regrettable de patriotisme, convient-il d'ajouter, Absolument, sire, les républicains ont des idées sur la patrie qu'ils sont les seuls à comprendre, si tant est qu'ils les comprennent réellement, Les idées qu'ils peuvent avoir ne m'intéressent nullement, ce que je veux savoir de votre part c'est s'il existe une possibilité quelconque qu'ils réussissent à imposer un changement de régime, Ils ne sont même pas représentés au parlement, sire, Je veux parler d'un coup d'état, d'une révolution, Impossible, sire, le peuple est aux côtés de son roi, les forces armées sont loyales au pouvoir légitime, Alors, j'ai tout lieu de me sentir rassuré, Tout à fait rassuré, sire. Le roi fit une croix à côté du mot républicains sur l'ordre du jour et dit, C'est vu, puis demanda, Qu'est-ce que c'est que cette histoire de pensions impayées, Nous les payons, sire, mais l'avenir s'annonce assez noir, Alors, j'ai dû mal lire, je pensais qu'il y avait eu, disons, une suspension des paiements, Non, sire, c'est l'avenir qui semble hautement préoccupant, Préoccupant à quel égard, À tous égards, sire, l'état peut tout simplement s'effondrer, comme un château de cartes, Sommes-nous le seul pays dans cette situation, demanda le roi, Non, sire, à long terme le problème atteindra tous les pays, mais ce qui compte c'est la différence entre mourir et ne pas mourir, c'est une différence fondamentale, si vous me pardonnez la banalité de ce propos, Je ne comprends pas, Dans les autres pays on meurt normalement, les décès continuent à compenser le flux des naissances, mais ici, sire, dans notre pays, personne ne meurt, voyez le cas de la reine mère, il semblait qu'elle allait s'éteindre, et finalement elle est toujours de ce monde, heureusement, veux-je dire, mais croyez-moi, sans exagération, nous avons la corde au cou, Pourtant, j'entends dire que certaines personnes meurent, C'est vrai, sire, mais il s'agit d'une goutte d'eau dans l'océan, toutes les familles ne se hasardent pas à franchir ce pas, Quel pas, Livrer leurs patients à l'organisation qui se charge des suicides, Je ne comprends pas, à quoi leur sert de se suicider s'ils ne peuvent pas mourir, Ceux-là meurent, Comment font-ils, C'est une histoire compliquée, sire, Racontez-la-moi, nous sommes entre nous, De l'autre côté de la frontière on meurt, sire, Voulez-vous dire que cette organisation les emmène là-bas, Exactement, C'est une organisation de bienfaisance, Elle nous aide à retarder quelque peu l'accumulation des patients terminaux, mais, comme je l'ai déjà dit, c'est une goutte d'eau dans l'océan, Et quelle est cette organisation. Le premier ministre inspira profondément et dit, La maphia, sire, La maphia, Oui, sire, la maphia, parfois l'état n'a d'autre solution que de recourir à des gens qui exécutent à l'extérieur les sales travaux pour lui, Vous ne m'en avez pas parlé, Sire, j'ai voulu garder votre majesté en dehors de cette affaire, j'assume ma responsabilité, Et les soldats qui étaient à la frontière, Ils avaient un rôle à jouer, Quel rôle, Celui de faire semblant d'être un obstacle au passage des suicidaires sans l'être vraiment, Je pensais qu'ils étaient là pour empêcher une invasion, Ce danger n'a jamais existé, de toute façon nous avons conclu des accords avec les gouvernements de ces pays, tout est sous contrôle, Sauf le problème des pensions, Sauf le problème de la mort, sire, si nous ne recommençons pas à mourir, nous n'aurons pas d'avenir. Le roi fit une croix à côté du mot pensions et dit, Il faut qu'il se passe quelque chose, Oui, majesté, il faut qu'il se passe quelque chose.

L'enveloppe se trouvait sur la table du directeur général de la télévision quand la secrétaire entra dans le bureau. L'enveloppe était de couleur violette, par conséquent hors du commun, et le papier, de type gaufré, imitait la texture du lin. Elle semblait ancienne et donnait l'impression d'avoir déjà été utilisée. Elle ne comportait aucune adresse, ni d'expéditeur, comme cela arrive quelquefois, ni de destinataire, ce qui n'arrive jamais, et elle se trouvait dans un bureau dont la porte fermée à clef venait d'être ouverte à l'instant même et où personne n'aurait pu pénétrer pendant la nuit. Après l'avoir retournée pour voir si quelque chose était écrit au verso, la secrétaire s'assit pour réfléchir, prise du sentiment vague et absurde que l'enveloppe ne se trouvait pas dans la pièce au moment où elle avait introduit la clef et actionné le mécanisme de la serrure. C'est aberrant, murmura-t-elle, je n'ai sans doute pas remarqué qu'elle était ici quand je suis partie hier. Elle balaya le bureau du regard pour voir si tout était bien rangé et alla s'installer à son poste de travail. En sa qualité de secrétaire de confiance, elle aurait été autorisée à ouvrir cette enveloppe comme n'importe quelle autre, d'autant plus qu'elle ne comportait aucune indication de nature restrictive, comme personnel, privé ou confidentiel, pourtant elle ne l'avait pas fait et elle ne comprenait pas pourquoi. À deux reprises elle se leva de sa chaise et alla entrouvrir la porte du bureau. L'enveloppe était toujours là. Je délire, ça doit être l'effet de sa couleur, pensa-t-elle, qu'il arrive donc et mette fin à ce mystère. Elle se référait à son patron, au directeur général, qui était en retard. Il était dix heures un quart quand enfin il apparut. Ce n'était pas un homme loquace, en arrivant il disait bonjour et pénétrait aussitôt dans son bureau où la secrétaire avait l'ordre de n'entrer que cinq minutes plus tard, laps de temps qu'il jugeait nécessaire pour se mettre à l'aise et allumer la première cigarette du matin. Quand la secrétaire entra, le directeur général était encore en veston et ne fumait pas. Il tenait des deux mains une feuille de papier de la même couleur que l'enveloppe et les deux mains tremblaient. Il tourna la tête dans la direction de la secrétaire qui s'approchait, mais ce fut comme s'il ne la reconnaissait pas. Il tendit soudain un bras avec la main grande ouverte pour l'arrêter et dit d'une voix qui semblait émaner d'une autre gorge, Sortez immédiatement, fermez cette porte et ne laissez entrer personne, vous entendez, j'ai bien dit personne. Pleine de sollicitude, la secrétaire demanda s'il y avait un problème, mais il lui coupa la parole avec violence, Ne vous ai-je pas dit de sortir, demanda-t-il. Et presque en criant, Sortez immédiatement. La pauvre dame se retira en larmes, elle n'avait pas l'habitude d'être traitée ainsi, le directeur, certes, a des défauts comme tout le monde, mais en général il est bien élevé, il n'a pas l'habitude de faire de ses secrétaires des paillassons. C'est sûrement à cause de quelque chose dans la lettre, il n'y a pas d'autre explication, pensa-t-elle en cherchant un mouchoir pour se tamponner les yeux. Elle ne se trompait pas. Si elle s'était aventurée à entrer de nouveau dans le bureau, elle aurait vu le directeur général l'arpenter rapidement d'un côté à l'autre d'un air égaré, comme s'il ne savait que faire et en même temps était clairement conscient que lui seul devait agir et personne d'autre. Le directeur regarda sa montre, regarda la feuille de papier, murmura tout bas, presque sur un ton de confidence, J'ai encore le temps, j'ai encore le temps, puis il s'assit pour relire la lettre mystérieuse tout en passant machinalement sa main libre sur la tête, comme pour s'assurer qu'elle était toujours à sa place, qu'il ne l'avait pas perdue dans le tourbillon d'effroi qui lui tordait l'estomac. Il termina sa lecture, fixa les yeux dans le vide, pensant, Il faut que je parle à quelqu'un, puis lui vint l'idée secourable qu'il s'agissait peut-être d'une plaisanterie, une plaisanterie de très mauvais goût, un téléspectateur mécontent, comme il y en a tant, doté par-dessus le marché d'une imagination morbide, tous ceux qui ont de hautes responsabilités à la télévision savent très bien que tout n'y est pas un lit de roses, Mais ce n'est pas à moi qu'on écrit d'habitude pour se défouler, pensa-t-il. Cette pensée le mena tout naturellement à téléphoner enfin à sa secrétaire pour lui demander, Qui m'a apporté cette lettre, Je ne sais pas, monsieur le directeur, quand je suis arrivée et que j'ai ouvert la porte de votre bureau comme je le fais toujours, elle était déjà là, Mais c'est impossible, personne n'a accès à ce bureau pendant la nuit, C'est tout à fait vrai, monsieur le directeur, Alors, comment expliquez-vous, Ce n'est pas à moi qu'il faut le demander, monsieur le directeur, tout à l'heure j'ai voulu vous dire ce qui s'était passé, mais vous ne m'en avez même pas laissé le temps, Je reconnais que j'ai été un peu brusque, excusez-moi, Cela n'a pas d'importance, monsieur le directeur, mais cela m'a beaucoup peinée. Le directeur général recommença à s'impatienter, Si je vous disais tout ce que j'ai sur le cœur, alors vous sauriez ce que c'est que d'être peiné. Et il raccrocha. Il regarda une nouvelle fois sa montre, puis se dit à lui-même, C'est la seule solution, je n'en vois pas d'autre, il y a des décisions qu'il ne m'appartient pas de prendre. Il ouvrit un agenda, chercha le numéro qui l'intéressait, le trouva, Le voici, dit-il. Ses mains continuaient à trembler, il eut du mal à composer le numéro sur les touches et encore plus de mal à affermir sa voix quand on décrocha à l'autre bout du fil, Passez-moi le cabinet du premier ministre, dit-il, je suis le directeur de la télévision, le directeur général. Le chef de cabinet prit le téléphone, Bonjour, monsieur le directeur, je suis ravi de vous entendre, en quoi puis-je vous être utile, J'ai besoin que monsieur le premier ministre me reçoive le plus rapidement possible pour une affaire de la plus grande urgence, Pouvez-vous me dire de quoi il s'agit pour que j'en fasse part à monsieur le premier ministre, Je le regrette infiniment, l'affaire est non seulement urgente, mais encore hautement confidentielle, Peut-être pourriez-vous tout de même me donner une petite idée, J'ai en mon pouvoir, ici, sous mes yeux que la terre engloutira un jour, un document d'une importance nationale transcendantale, si cela ne vous suffit pas, si cela ne vous permet pas de me mettre à l'instant même en communication avec monsieur le premier ministre, où qu'il se trouve, alors je crains beaucoup pour votre avenir personnel et politique, C'est si grave que cela, Je dirais simplement qu'à partir de cet instant chaque minute qui s'écoulera sera de votre entière responsabilité, Je vais voir ce que je peux faire, monsieur le premier ministre est extrêmement occupé, Eh bien, désoccupez-le si vous voulez gagner une médaille, Un instant, J'attends, Puis-je vous poser une autre question, Faites, que voulez-vous encore savoir, Pourquoi avez-vous dit sous mes yeux que la terre engloutira un jour, ça c'était avant, Je ne sais pas ce que vous étiez avant, mais je sais ce que vous êtes maintenant, un imbécile achevé, passez-moi le premier ministre sur-le-champ. La dureté insolite des paroles du directeur général prouve à quel point son esprit est altéré. Il a été saisi par une sorte d'obnubilation, il ne se reconnaît plus, il ne comprend pas comment il a pu insulter quelqu'un simplement parce que celui-ci lui a posé une question parfaitement raisonnable, et quant à la forme et quant à l'intention. Il faudra que je lui présente mes excuses, pensa-t-il pris de remords, demain j'aurai peut-être besoin de lui. La voix du premier ministre se teinta d'impatience, Que se passe-t-il, demanda-t-il, les problèmes de la télévision ne sont pas de mon ressort, que je sache, Il ne s'agit pas de télévision, monsieur le premier ministre, j'ai reçu une lettre, Oui, on m'a déjà dit que vous aviez reçu une lettre, que voulez-vous que j'y fasse, Je vous prie simplement de la lire, rien de plus, le reste, pour reprendre vos paroles, ne sera pas de mon ressort, Je constate que vous êtes nerveux, Oui, monsieur le premier ministre, je suis bien plus que nerveux, Et que dit cette lettre mystérieuse, Je ne peux pas vous exposer ça au téléphone, La ligne est sécurisée, Je ne dirai rien quand même, on n'est jamais assez prudent, Alors, envoyez-la-moi, Il faudra que je vous la remette en main propre, je ne veux pas courir de risque en vous la faisant parvenir par un porteur, Je vais vous envoyer quelqu'un d'ici, mon chef de cabinet, par exemple, il me serait difficile de trouver quelqu'un qui me soit plus proche, Monsieur le premier ministre, je vous en prie, je ne serais pas en train de vous déranger sans une raison impérieuse, il est absolument nécessaire que vous me receviez, Quand, Tout de suite, Je suis occupé, Monsieur le premier ministre, je vous en prie, Bon, puisque vous insistez tellement, venez, j'espère que le mystère en vaudra la peine, Merci, j'accours. Le directeur général posa le téléphone, glissa la lettre dans l'enveloppe qu'il rangea dans une des poches intérieures de son veston et se leva. Ses mains avaient cessé de trembler, mais son front était inondé de sueur. Il s'épongea le visage avec un mouchoir, puis appela sa secrétaire par le téléphone interne, lui dit qu'il sortait et qu'il avait besoin de sa voiture. Le fait d'avoir transféré la responsabilité à quelqu'un d'autre l'avait un peu calmé, dans une demi-heure son rôle dans cette affaire serait terminé. La secrétaire apparut à la porte, Votre voiture vous attend, monsieur le directeur, Je vous remercie, je ne sais pas pendant combien de temps je serai absent, j'ai rendez-vous avec le premier ministre, mais gardez cette information pour vous, Soyez tranquille, monsieur le directeur, je ne dirai rien, À plus tard, À plus tard, monsieur le directeur, que tout se passe bien, Vu l'état des choses, on ne sait plus ce qui est bien et ce qui est mal, Vous avez raison, À propos, comment va votre père, La situation n'a pas changé, monsieur le directeur, il n'a pas l'air de souffrir, mais il dépérit, il s'éteint, cela fait deux mois qu'il est dans cet état et, vu ce qui se passe, je n'aurai bientôt plus qu'à attendre qu'on me couche à mon tour dans un lit à côté de lui, On ne sait jamais, dit le directeur, et il sortit.

Le chef de cabinet reçut le directeur général à la porte, il le salua avec une sécheresse évidente et dit, Je vous accompagne chez le premier ministre, Un instant, je voudrais d'abord vous présenter mes excuses, il y avait vraiment un idiot achevé dans notre conversation, mais cet idiot c'était moi, Ce n'était probablement aucun de nous deux, rétorqua le chef de cabinet avec un sourire, Si vous pouviez voir ce que j'ai dans ma poche, vous comprendriez mon état d'esprit, Ne vous faites pas de souci, en ce qui me concerne, vous êtes tout excusé, Je vous remercie, de toute façon la bombe ne tardera plus à exploser publiquement, J'espère que son explosion ne fera pas trop de vacarme, Le vacarme sera plus fort que le pire des coups de tonnerre jamais entendu et ses éclairs plus aveuglants que tous les autres réunis, Vous m'inquiétez, Quand cela se produira, mon cher, je suis certain que vous m'excuserez de nouveau, Allons-y, monsieur le premier ministre vous attend. Ils traversèrent une salle qui avait dû porter le nom d'antichambre dans des époques révolues et une minute plus tard le directeur général se trouva en présence du premier ministre qui le reçut avec un sourire, Voyons donc un peu la question de vie ou de mort que vous m'apportez ici, Avec tout le respect que je vous dois, monsieur le premier ministre, je suis convaincu que jamais paroles plus justes ne sont sorties de votre bouche. Il retira la lettre de sa poche et la tendit par-dessus la table. L'autre fut étonné, Elle ne comporte pas de nom de destinataire, Ni d'expéditeur, dit le directeur, c'est comme si elle était adressée à tout le monde, Une lettre anonyme, Non, monsieur le premier ministre, comme vous pourrez le voir, elle est signée, mais lisez, lisez, s'il vous plaît. L'enveloppe fut ouverte lentement, la feuille de papier dépliée, mais le ministre leva les yeux dès les premières lignes et dit, On dirait une plaisanterie, Cela pourrait en être une, effectivement, mais je ne le crois pas, elle est apparue sur ma table de travail sans que personne ne sache comment, Cela ne me semble pas une raison suffisante pour que nous ajoutions foi à ce qu'elle contient, Continuez, continuez, s'il vous plaît. Arrivé à la fin de la lettre, lentement, remuant les lèvres en silence, le premier ministre articula l'unique syllabe du mot qui la signait. Il posa la feuille sur son bureau, regarda fixement son interlocuteur et dit, Imaginons que ce soit une plaisanterie, Ce n'en est pas une, Moi non plus je ne le crois pas, mais si je vous dis de l'imaginer c'est seulement pour conclure que nous ne tarderons pas à le savoir, Il nous faudra exactement douze heures, puisqu'il est midi à présent, C'est là que je veux en venir, si ce que la lettre annonce se produit véritablement et si nous n'en prévenons pas la population auparavant, ce qui est arrivé la dernière nuit de l'année se répétera, mais à rebours, Peu importe que nous la prévenions ou non, monsieur le premier ministre, l'effet sera le même, Exact, toutefois, si nous la prévenons et qu'il se trouve qu'il s'agissait d'une plaisanterie, les gens auront passé un mauvais moment inutilement, quoiqu'il y aurait beaucoup à dire sur la pertinence de cet adverbe, Je ne crois pas que cela vaille la peine, monsieur le premier ministre, vous avez déjà dit que vous ne pensiez pas qu'il s'agisse d'une plaisanterie, C'est vrai, Que faire, alors, prévenir ou ne pas prévenir, C'est bien là la question, mon cher directeur général, nous devons penser, soupeser, réfléchir, Le problème est désormais entre vos mains, monsieur le premier ministre, il vous appartient de décider, Effectivement, c'est de mon ressort, je pourrais même déchirer ce papier en mille morceaux et attendre ce qui se passera, Je ne crois pas que vous ferez cela, Vous avez raison, je ne le ferai pas, par conséquent il faut prendre une décision, dire simplement qu'il faut avertir la population ne suffit pas, il faut savoir comment, Les moyens de communication sont là pour ça, monsieur le premier ministre, nous avons la télévision, les journaux, la radio, Donc, votre idée serait de distribuer à tous ces médias une photocopie de la lettre, accompagnée d'un communiqué du gouvernement dans lequel on appellerait la population à garder son calme et on lui donnerait quelques consignes sur la façon de procéder en cas d'urgence, Monsieur le premier ministre, vous avez formulé l'idée bien mieux que je n'aurais pu le faire, Je vous remercie de votre opinion flatteuse, mais je vous demande à présent de faire un effort et d'imaginer ce qui se passerait si nous agissions de la sorte, Je ne comprends pas, J'espérais autre chose de la part du directeur général de la télévision, S'il en est ainsi, je regrette de ne pas être à la hauteur, monsieur le premier ministre, Bien sûr que vous êtes à la hauteur, vous êtes simplement décontenancé par la responsabilité, Et vous, monsieur le premier ministre, n'êtes-vous pas décontenancé, Si, je le suis moi aussi, mais, dans mon cas, décontenancé ne veut pas dire paralysé, Heureusement pour le pays, Je vous remercie à nouveau, nous ne nous sommes jamais beaucoup parlé, d'habitude je ne discute de télévision qu'avec le ministre de tutelle, mais je crois que le moment est venu de faire de vous un personnage national, Maintenant, je ne vous comprends plus du tout, monsieur le premier ministre, C'est simple, cette affaire va rester entre nous, rigoureusement entre nous, jusqu'à neuf heures du soir, heure à laquelle le journal télévisé s'ouvrira sur la lecture d'un communiqué officiel expliquant ce qui se passera aujourd'hui à minuit, un résumé de la lettre sera également lu, et la personne qui fera ces deux lectures sera le directeur général de la télévision, en premier lieu parce qu'il a été le destinataire de la lettre, même si son nom n'y figure pas, et en second lieu parce que le directeur général de la télévision est la personne à qui je fais confiance, afin que nous menions tous les deux à bonne fin la mission dont la dame qui signe ce papier nous a chargés implicitement, Un présentateur s'acquitterait bien mieux de cette tâche, monsieur le premier ministre, Je ne veux pas de présentateur, je veux le directeur général de la télévision, Si tel est votre désir, je tiendrai cela pour un honneur, Nous sommes les seules personnes à savoir ce qui se passera aujourd'hui à minuit et nous continuerons à être les seules jusqu'à l'heure où la population recevra l'information, si nous faisions ce que vous avez proposé il y a peu, c'est-à-dire déjà transmettre la nouvelle aux médias, nous aurions douze heures de chaos, de panique, de tumulte, d'hystérie collective et dieu sait quoi d'autre encore, donc, comme il ne nous est pas possible, je parle du gouvernement, d'éviter ces réactions, limitons-les au moins à trois heures, ensuite cela ne dépendra plus de nous, nous aurons toutes sortes de manifestations, larmes, désespoirs, soulagements mal déguisés, nouveaux bilans de vie, Cela semble une bonne idée, Oui, mais seulement parce que nous n'en avons aucune qui soit meilleure. Le premier ministre prit la feuille de papier, la parcourut du regard sans la lire et dit, C'est curieux, la lettre initiale de la signature devrait être une majuscule, or c'est une minuscule, Moi aussi ça m'a surpris, écrire un nom avec une minuscule n'est pas normal, Voyez-vous quoi que ce soit de normal dans

107

toute cette histoire, Non, vraiment rien, À propos, savez-vous faire des photocopies, Je ne suis pas un spécialiste, mais il m'est arrivé d'en faire, Formidable. Le premier ministre mit la lettre et l'enveloppe dans une chemise bourrée de documents et fit appeler son chef de cabinet auquel il ordonna, Faites évacuer immédiatement la pièce où est installée la photocopieuse, Elle se trouve là où les fonctionnaires travaillent, monsieur le premier ministre, c'est là sa place, Qu'ils aillent dans une autre pièce, qu'ils attendent dans le couloir ou qu'ils sortent fumer une cigarette, nous n'en aurons que pour trois minutes, n'est-ce pas, directeur général, Même pas, monsieur le premier ministre, Je pourrais tirer cette photocopie dans la plus grande discrétion si c'est cela que vous voulez, comme je me permets de le supposer, dit le chef de cabinet, C'est exactement ce que nous souhaitons, de la discrétion, mais pour une fois c'est moi qui me chargerai de cette tâche avec, disons, l'assistance technique de monsieur le directeur général de la télévision, ici présent, Très bien, monsieur le premier ministre, je vais donner les ordres nécessaires pour que la pièce soit évacuée. Il revint quelques minutes plus tard. Elle est libre, monsieur le premier ministre, si vous n'y voyez pas d'inconvénient, je retourne dans mon bureau, Je suis content de ne pas avoir à vous le demander et je vous prie de ne pas prendre en mauvaise part ces manœuvres apparemment conspiratrices du fait qu'elles vous excluent, vous apprendrez aujourd'hui même la raison de toutes ces précautions et sans que je doive vous l'expliquer, Assurément, monsieur le premier ministre, je ne me permettrais jamais de douter du bien-fondé de vos raisons, Bien répondu, mon cher. Quand le chef de cabinet fut sorti, le premier ministre prit la chemise et dit, Allons là-bas. La pièce était déserte. En moins d'une minute la photocopie fut prête, lettre pour lettre, mot pour mot, mais ce n'était pas la même chose, il lui manquait la touche inquiétante de la couleur violette du papier, à présent c'était une missive vulgaire, commune, du genre, J'espère que ces lignes vous trouveront en bonne et heureuse santé en compagnie de toute votre famille, quant à moi je n'ai qu'à me féliciter de la vie. Le premier ministre donna la copie au directeur général, Tenez, je garde l'original, dit-il, Quand recevrai-je le communiqué du gouvernement, Asseyez-vous, je vais le rédiger moi-même en un tournemain, ce n'est pas sorcier, Chers compatriotes, le gouvernement a jugé de son devoir d'informer le pays d'une lettre qui lui est parvenue aujourd'hui, un document dont nous ne saurions exagérer la signification et l'importance, encore que nous ne soyons pas en mesure d'en garantir l'authenticité, nous admettons, sans vouloir anticiper déjà sur son contenu, qu'il est possible que les événements annoncés dans ledit document ne se produisent pas, cependant, afin que la population ne se trouve pas prise au dépourvu dans une situation qui n'est pas exempte de tensions et de divers aspects critiques, nous allons procéder immédiatement à sa lecture dont se chargera le directeur général de la télévision avec l'agrément du gouvernement, encore un mot avant d'en terminer, il est inutile que je vous donne l'assurance que le gouvernement restera attentif comme toujours aux intérêts et aux besoins de la population tout au long d'heures qui seront sûrement parmi les plus difficiles depuis que nous sommes une nation et un peuple, raison pour laquelle nous vous appelons tous à conserver le calme et la sérénité dont vous avez fait montre si souvent pendant la succession des dures épreuves que nous avons connues depuis le début de l'année, en même temps nous espérons qu'un avenir plus souriant nous redonnera la paix et le bonheur que nous méritons et dont nous jouissions naguère, chers compatriotes, souvenez-vous que l'union fait la force, tel est notre slogan, notre devise, restons unis et l'avenir sera à nous, voilà, c'est fait, comme vous voyez, ça a été rapide, ces communiqués officiels n'exigent pas de grands efforts d'imagination, on pourrait presque dire qu'ils se rédigent tout seuls, vous avez là une machine à écrire, recopiez-moi ça et gardez-le précieusement jusqu'à neuf heures du soir, ne vous en séparez pas un seul instant, Soyez tranquille, monsieur le premier ministre, je suis parfaitement conscient de mes responsabilités dans cette conjoncture, soyez certain que vous ne serez pas déçu, Très bien, à présent vous pouvez retourner à votre travail, Permettez-moi de vous poser encore deux questions avant de partir, Faites, Vous venez de dire, monsieur le premier ministre, que jusqu'à neuf heures du soir seules deux personnes seront au courant de cette affaire, Oui, vous et moi, personne d'autre, pas même le gouvernement, Et le roi, si ce n'est pas trop osé de ma part de me mêler de ce qui ne me regarde pas, Sa majesté sera mise au courant en même temps que les autres, à condition, bien entendu, qu'il regarde la télévision, Je suppose qu'il ne sera pas très content de ne pas avoir été informé plus tôt, Ne vous faites pas de souci, la plus grande des vertus qui ornent les rois, je parle, évidemment, des rois constitutionnels, c'est leur extraordinaire compréhension, Ah bon, Et quelle est votre autre question, Ce n'est pas à proprement parler une question, Alors, C'est que, très sincèrement, je suis époustouflé par le sang-froid dont vous faites preuve, monsieur le premier ministre, pour moi, ce qui va se passer dans le pays à minuit me semble être une catastrophe, un cataclysme inouï, une espèce de fin du monde, alors qu'à vous regarder on dirait qu'il s'agit simplement d'une quelconque affaire de routine gouvernementale, vous donnez tranquillement vos ordres et j'ai même eu l'impression que vous avez souri il y a peu, Je suis convaincu que vous aussi, mon cher directeur général, vous souririez si vous aviez une idée de la quantité de problèmes que cette lettre résout pour moi sans que j'aie eu besoin de lever le petit doigt, et maintenant laissez-moi travailler, je dois donner un certain nombre d'ordres, je dois parler au ministre de l'intérieur pour qu'il alerte la police de prévention, j'essaierai d'inventer une raison plausible, l'éventualité d'un trouble de l'ordre public, il n'est pas homme à perdre son temps à réfléchir, il préfère agir, si vous voulez le voir heureux donnez-lui de l'action, Monsieur le premier ministre, permettez-moi de vous dire que je considère qu'avoir vécu ces moments cruciaux à vos côtés est un privilège qui n'a pas de prix, Heureusement que vous voyez les choses de cette façon car je puis vous assurer que vous changeriez rapidement d'opinion si un seul mot de ce qui vient d'être dit dans ce bureau par moi ou par vous venait à être connu hors de ces quatre murs, Je comprends, Comme un roi constitutionnel, Oui, monsieur le premier ministre.

Il était presque vingt heures trente quand le directeur général convoqua dans son bureau le responsable du journal télévisé pour l'informer que l'émission du soir s'ouvrirait sur la présentation d'un communiqué du gouvernement au pays, de la lecture duquel se chargerait comme d'habitude le présentateur de service, après quoi, lui-même, le directeur général, lirait un autre document, complétant le premier. Si le responsable du journal télévisé trouva le procédé anormal, inusité, hors du commun, il n'en laissa rien paraître, il se borna à demander les deux documents pour les passer sur le téléprompteur, cet appareil méritoire qui permet de créer l'illusion présomptueuse que le présentateur s'adresse directement et uniquement à chaque auditeur. Le directeur général répondit que dans ce cas-ci on n'utiliserait pas le téléprompteur, Nous procéderons à une lecture à l'ancienne, déclara-t-il, et il ajouta qu'il entrerait dans le studio à vingt heures cinquante-cinq précises, moment auquel il remettrait le communiqué du gouvernement au présentateur, auquel l'instruction rigoureuse devrait d'ores et déjà être donnée de n'ouvrir la chemise qu'au moment de commencer la lecture. Le responsable du journal télévisé pensa qu'il avait à présent une raison de manifester vraiment un certain intérêt,

Est-ce si important que cela, demanda-t-il, Vous le saurez dans une demi-heure, Et le drapeau, monsieur le directeur général, voulez-vous que je le fasse placer derrière le fauteuil dans lequel vous vous assiérez, Non, pas de drapeau, je ne suis ni chef du gouvernement, ni ministre, Ni roi, sourit le responsable du journal télévisé avec un air de complicité pateline, comme s'il voulait donner à entendre qu'il était effectivement roi, mais de la télévision nationale. Le directeur général feignit de ne pas l'avoir entendu, Vous pouvez disposer, dans vingt minutes je serai dans le studio, Cela ne laissera pas le temps de vous maquiller, Je ne veux pas être maquillé, la lecture sera assez brève et, à ce stade, les téléspectateurs auront d'autres sujets de réflexion que la question de mon maquillage ou de son absence, Très bien, c'est à vous de décider, monsieur le directeur général, En tout cas, prenez des dispositions pour que les projecteurs ne me creusent pas le visage, je n'aimerais pas qu'on me voie à l'écran avec une tête de déterré, aujourd'hui moins que jamais. À vingt heures cinquante-cinq, le directeur général fit son entrée dans le studio, tendit au présentateur de service la chemise contenant le communiqué du gouvernement et alla s'asseoir à la place qui lui était destinée. À cause du caractère insolite de la situation, la nouvelle s'était répandue, comme il fallait s'y attendre, et il y avait davantage de monde dans le studio qu'à l'accoutumée. Le réalisateur ordonna le silence. À vingt et une heures précises, accompagné par sa musique d'annonce caractéristique, le journal télévisé démarra de façon fulgurante par une séquence ultrarapide d'images variées qui avaient pour objet de convaincre le téléspectateur que cette télévision-là, à son service vingt-quatre heures sur vingt-quatre, était, comme on disait jadis de la divinité, partout et qu'elle envoyait des nouvelles de partout. À l'instant même où le présentateur finit de lire le communiqué du gouverne-ment, la caméra numéro deux projeta le directeur général à l'écran. Il était visible qu'il était nerveux, qu'il avait la gorge nouée. Il s'éclaircit la voix et commença à lire, Monsieur le directeur général de la télévision nationale, je souhaite informer les personnes intéressées par cette nouvelle qu'aujourd'hui, à partir de minuit, on recommencera à mourir comme on le faisait, sans protestations notoires, depuis le commencement des temps et jusqu'au trente et un décembre de l'année dernière, et je dois expliquer que l'intention qui m'a poussée à interrompre mes activités, à cesser de tuer, à rengainer la faux emblématique que des peintres et des graveurs doués d'imagination m'ont placée dans la main au temps jadis, fut d'offrir aux êtres humains qui me détestent tellement un petit échantillon de ce que signifierait pour eux le fait de vivre toujours, c'est-à-dire éternellement, bien que, soit dit entre nous, monsieur le directeur général de la télévision nationale, je doive avouer que j'ignore totalement si les deux termes, toujours et éternellement, sont aussi synonymes qu'on le croit généralement, or, passé cette période de quelques mois que nous pourrions qualifier d'épreuve de résistance ou de temps gratuit, et au vu des résultats lamentables de l'expérience, d'un point de vue moral, c'est-à-dire philosophique, aussi bien que d'un point de vue pragmatique, c'est-à-dire social, j'ai considéré qu'il vaudrait mieux pour les familles et la société dans son ensemble que je reconnaisse publiquement l'erreur dont je suis responsable et que j'annonce le retour immédiat à la normale, ce qui signifiera que toutes les personnes qui devraient déjà être mortes, mais qui sont demeurées dans ce bas monde en bonne ou mauvaise santé, verront la chandelle de leur vie s'éteindre lorsque le dernier coup de la cloche sonnant minuit s'évanouira dans l'air, remarquez que l'allusion à la cloche est purement symbolique, il ne faudrait pas qu'il passe par la tête de quiconque l'idée stupide de vouloir bloquer les horloges sur les clochers ou de retirer les battants des cloches, pensant ainsi arrêter le temps et contrecarrer ma décision irrévocable de réinstaller la peur suprême dans le cœur des hommes   la plupart des personnes présentes dans le studio s'étaient déjà éclipsées et celles qui y demeuraient encore chuchotaient tout bas les unes avec les autres, leurs murmures produisant un bourdonnement sans que le réalisateur, lui-même bouche bée de stupéfaction, s'avise de le faire taire avec ce geste furieux dont il était coutumier dans des circonstances évidemment bien moins dramatiques que celles-ci   donc, résignez-vous et mourez sans discuter car cela ne servirait à rien, il est pourtant une question pour laquelle je me sens dans l'obligation de faire amende honorable, elle concerne le procédé injuste et cruel consistant à retirer la vie aux gens en toute mauvaise foi, sans préavis, sans crier gare, je dois reconnaître qu'il s'agissait là d'un acte d'une brutalité indécente, très souvent sans même leur laisser le temps de faire un testament, il est vrai que dans la plupart des cas je leur envoyais une maladie pour ouvrir la voie, mais les maladies ont quelque chose de curieux, les êtres humains espèrent toujours s'en sortir, si bien qu'ils ne s'aperçoivent qu'elle sera la dernière maladie que lorsque c'est déjà trop tard, bref, désormais chacun sera averti sur un pied d'égalité et disposera d'un délai d'une semaine pour mettre de l'ordre dans ce qui lui reste encore de vie, rédiger son testament, dire adieu à la famille, lui demander pardon pour le mal commis ou faire la paix avec le cousin avec qui on avait coupé tous les ponts depuis vingt ans, cela dit, monsieur le directeur général de la télévision nationale, il ne me reste plus qu'à vous prier de faire parvenir aujourd'hui même à tous les foyers du pays ce mien message autographe que je signe du nom sous lequel je suis généralement connue, mort. Le directeur général se leva de son fauteuil en constatant qu'on l'avait déjà effacé de l'écran, il plia la copie de la lettre et la glissa dans une des poches intérieures de son veston. Il remarqua que le réalisateur s'approchait de

114

lui, pâle, le visage défait, Alors, c'était ça, dit-il dans un murmure presque inaudible, c'était donc ça. Le directeur général confirma en silence et se dirigea vers la sortie. Il n'entendit pas les paroles que le présentateur avait commencé à balbutier, Vous venez d'entendre, et ensuite les nouvelles qui avaient cessé d'avoir de l'importance parce que dans l'ensemble du pays personne n'y prêtait la moindre attention, dans les maisons où il y avait un malade terminal les familles s'assemblèrent au chevet du malheureux, pourtant elles ne pouvaient lui annoncer qu'il allait mourir dans trois heures, elles ne pouvaient lui dire qu'il pouvait profiter de ce laps de temps pour faire dare-dare le testament qu'il avait toujours refusé d'établir, ou s'il souhaitait qu'elles appellent le cousin afin qu'ils se réconcilient, elles ne pouvaient pas non plus lui demander hypocritement comme d'habitude s'il se sentait un peu mieux, elles contemplaient la face pâle et émaciée, puis regardaient la pendule en catimini, attendant que le temps passe et que le train du monde se retrouve sur ses rails habituels pour reprendre le voyage traditionnel. Dans un assez grand nombre de familles qui avaient déjà payé la maphia pour qu'elle enlève la triste dépouille, et à supposer que, dans le meilleur des cas, elles n'allaient pas pleurer maintenant l'argent dépensé, les parents constataient que s'ils avaient fait preuve d'un peu plus de charité et de patience, l'enlèvement aurait été effectué gratuitement. Les rues étaient en proie à une agitation extraordinaire, on y apercevait des personnes immobiles, hébétées, désorientées, ne sachant de quel côté s'enfuir, d'autres pleurer inconsolablement, d'autres s'étreindre mutuellement comme si elles avaient décidé de se faire déjà leurs adieux, d'autres discuter et se demander si tout cela n'était pas de la faute du gouvernement, ou de la science médicale, ou du pape à rome, un sceptique protestait que de mémoire d'homme la mort n'avait jamais écrit de lettre et qu'il fallait faire procéder d'urgence à une analyse graphologique car, disait-il, une main uniquement composée de petits bouts d'os ne pourrait jamais écrire comme une main complète, une main authentique, vivante, irriguée de sang, parcourue de veines, de nerfs, de tendons, couverte de peau et de chair, et que s'il était vrai que les os ne laissent pas d'empreintes digitales sur le papier et que donc on ne pourrait pas s'en servir pour identifier l'auteur de la lettre, un examen de l'adn jetterait peut-être quelque lumière sur cette manifestation épistolaire inattendue de la part d'un être, pour autant que la mort en soit bien un, qui avait gardé le silence toute sa vie. Pendant ce temps, le premier ministre parle au téléphone avec le roi, il lui explique pourquoi il avait décidé de ne pas lui faire part de la lettre de la mort et le roi lui répond que oui, il comprend parfaitement, alors le premier ministre lui dit qu'il regrette infiniment le dénouement funeste que le dernier coup de cloche à minuit imposera à la vie ne tenant plus qu'à un fil de la reine mère, et le roi hausse les épaules, mieux vaut pas de vie du tout que ce peu de vie-là, aujourd'hui elle, moi demain, d'autant plus que le prince héritier commence déjà à trépigner d'impatience et à demander quand viendra son tour d'être roi constitutionnel. Cette conversation intime terminée, assortie de touches de sincérité inusitées, le premier ministre donna à son chef de cabinet l'ordre de convoquer tous les membres du gouvernement pour une réunion de la plus haute urgence, Je veux tout le monde ici dans trois quarts d'heure, à vingt-deux heures précises, dit-il, il faudra que nous discutions, approuvions et mettions en œuvre les palliatifs nécessaires pour réduire à un minimum le chaos et la chienlit de toute nature que la nouvelle situation ne manquera pas d'engendrer dans les prochains jours, Vous voulez parler de la quantité de défunts qu'il va falloir évacuer en un laps de temps record, monsieur le premier ministre, Ça, c'est encore ce qui importe le moins, mon cher, les établissements de pompes funèbres existent pour s'occuper de ce genre de problèmes, d'ailleurs pour eux la crise est finie, ils doivent être en train de se frotter les mains et de calculer ce qu'ils vont gagner, par conséquent qu'ils enterrent les morts comme c'est de leur ressort, mais nous il nous incombe de nous occuper des vivants, par exemple, d'organiser des équipes de psychologues pour aider les gens à surmonter le traumatisme de devoir à nouveau mourir alors qu'ils étaient convaincus qu'ils vivraient à tout jamais, Oui, cela sera sûrement très pénible, je l'avais pensé moi-même, Ne perdez pas de temps, que les ministres rassemblent leurs secrétaires d'état respectifs, je les veux tous ici à vingt-deux heures tapantes, si quelqu'un vous pose la question, dites qu'il est le premier à être convoqué, les ministres sont comme des enfants en bas âge, ils sont friands de bonbons. Le téléphone sonna, c'était le ministre de l'intérieur, Monsieur le premier ministre, je reçois des appels de tous les journaux, dit-il, ils exigent qu'on leur fournisse des copies de la lettre qui vient d'être lue à la télévision au nom de la mort et dont malheureusement j'ignorais l'existence, Ne le déplorez pas, si j'ai décidé d'assumer la responsabilité d'en garder le secret, c'est pour que nous n'ayons pas à endurer douze heures de panique et de désordre, Qu'est-ce que je fais, alors, Ne vous occupez pas de cette question, mon cabinet va diffuser la lettre à l'instant même dans tous les médias, Très bien, monsieur le premier ministre, Le gouvernement va se réunir à vingt-deux heures pile, amenez vos secrétaires d'état, Les sous-secrétaires aussi, Non, laissez ceux-là garder la baraque, j'ai toujours entendu dire que trop de gens ensemble sont difficiles à sauver, Oui, monsieur le premier ministre, Soyez ponctuel, la réunion commencera à vingt-deux heures une, Soyez assuré que nous serons les premiers à arriver, monsieur le premier ministre, Une médaille vous attendra, Quelle médaille, C'est seulement une façon de parler, n'y prêtez pas attention.

117

Les représentants des entreprises funéraires, enterrements, incinérations et transferts, service permanent, se réunirent à la même heure, au siège de la corporation. Confrontées au défi professionnel démesuré et encore jamais vu que représentera la mort simultanée et par la suite le traitement funèbre de milliers de personnes dans tout le pays, la seule solution sérieuse qu'elles retinrent, outre les bénéfices économiques substantiels qui en découleront du fait d'un abaissement rationnel des coûts, consista à déployer conjointement et de façon ordonnée les ressources en personnel et en moyens technologiques, bref en logistique dont elles disposent, et à établir dans le même temps des quotas proportionnels de participation au gâteau, comme le dit le président de l'association de cette branche professionnelle avec un humour applaudi discrètement, mais avec le sourire, par les présents. Il faudra tenir compte, par exemple, du fait que la production des cercueils, des bières, des pierres tombales, des stèles, des monuments funéraires se trouve au point mort depuis le jour où les gens ont cessé de passer l'arme à gauche et que, au cas bien improbable où il resterait encore des stocks dans une menuiserie gérée de façon conservatrice, ce sera comme cette petite rosette de malherbe qui, transformée en rose, ne dura que l'espace d'un éphémère matin. La citation littéraire fut l'œuvre du président, lequel, sans la sortir avec beaucoup d'à-propos, mais provoquant les applaudissements de l'assistance, dit ensuite, Quoi qu'il en soit, finie pour nous la honte d'enterrer des chiens, des chats et des canaris de compagnie, Et des perroquets, dit une voix dans le fond, Et des perroquets, acquiesça le président, Et des petits poissons tropicaux, rappela une autre voix, Cela, ce fut seulement après la polémique soulevée par l'esprit qui plane au-dessus de l'eau de l'aquarium, corrigea le secrétaire du bureau, désormais on les donnera aux chats, à cause de l'axiome de lavoisier qui prétend que dans la nature rien ne se crée et rien ne se perd, tout se transforme. Si l'on ne sut pas jusqu'où les rodomontades de bas étage des agences funéraires ainsi réunies auraient pu aller, ce fut parce qu'un de leurs représentants, conscient du temps, vingt-deux heures quarante-cinq à sa montre, leva le bras pour proposer qu'on téléphone à l'association des menuisiers pour leur demander s'ils avaient encore des cercueils et des bières, Nous devons savoir sur quoi nous pourrons compter demain, conclut-il. Comme il fallait s'y attendre, la proposition fut chaleureusement applaudie, mais le président, déguisant mal son dépit de ne pas avoir eu lui-même cette idée, déclara, Il n'y a sûrement personne dans les menuiseries à cette heure-ci, Permettez-moi d'en douter, monsieur le président, les mêmes raisons qui nous ont rassemblés ici ont dû les pousser à se réunir eux aussi. L'auteur de la proposition avait mis dans le mille. La corporation des menuisiers répondit qu'elle avait alerté ses associés immédiatement après la lecture de la lettre de la mort, afin d'attirer leur attention sur la nécessité de reprendre dans les plus brefs délais la fabrication de la menuiserie funéraire et que, d'après les renseignements qu'elle ne cessait de recevoir, un grand nombre d'entreprises avait aussitôt convoqué leurs ouvriers et la majorité d'entre elles fonctionnaient déjà à plein régime. C'est contraire aux horaires de travail, déclara le porte-parole de la corporation, mais comme il s'agit d'une situation d'urgence nationale, nos avocats ont la certitude que le gouvernement n'aura pas le choix, qu'il fermera les yeux et que de surcroît il nous dira merci, ce que nous ne pourrons garantir en une première phase c'est que les cercueils et les bières que nous livrerons auront la même qualité de fini que celle à laquelle nous avons habitué nos clients, le poli, le verni, le crucifix sur le couvercle seront pour la phase suivante, lorsque la pression des enterrements commencera à faiblir, de toute façon nous sommes conscients de notre responsabilité, nous constituons un rouage essentiel dans cette mécanique. De nouveaux applaudissements encore plus nourris retentirent dans cette réunion des représentants des pompes funèbres et maintenant, certes, il y avait des raisons de se congratuler mutuellement, tous les cadavres seraient enterrés, toutes les factures encaissées. Et les fossoyeurs, demanda l'auteur de la proposition, Les fossoyeurs feront ce qu'on leur ordonnera, répondit le président d'un ton irrité. Cela ne se passa pas ainsi. Par un autre coup de téléphone on apprit que les fossoyeurs exigeaient une augmentation de salaire substantielle et un triplement du taux des heures supplémentaires. Cela concerne les municipalités, qu'elles se débrouillent, déclara le président. Et si nous arrivons au cimetière et qu'il n'y a personne pour creuser les tombes, demanda le secrétaire. La discussion se poursuivit sur un ton enflammé. À vingt-trois heures cinquante, le président fut foudroyé par un infarctus du myocarde. Il mourut au dernier coup annonçant minuit.

Ce fut bien plus qu'une hécatombe. Pendant les six mois qu'avait duré la trêve unilatérale de la mort, plus de soixante mille moribonds s'étaient accumulés sur une liste d'attente comme on n'en avait jamais vu, exactement soixante-deux mille cinq cent quatre-vingts, mis en paix d'un seul coup par l'œuvre d'un unique instant, d'une fraction de temps chargée d'une puissance mortifère, comparable seulement à certains actes humains répréhensibles. À propos, nous ne résisterons pas à l'impulsion de rappeler que la mort, par elle-même, à elle seule, sans aucune aide extérieure, a toujours beaucoup moins tué que l'homme. Un esprit curieux se demandera peut-être comment nous avons fait pour arriver à ce chiffre précis de soixante-deux mille cinq cent quatre-vingts personnes fermant les yeux en même temps et pour toujours. Ce fut très facile. Sachant que le pays dans lequel cela se passe compte environ dix millions d'habitants et que le taux de mortalité est *Portugal* approximativement de dix pour mille, deux opérations arithmétiques simples, parmi les plus élémentaires, la multiplication et la division, ainsi qu'une pondération minutieuse des proportions intermédiaires mensuelles et annuelles, nous ont permis d'obtenir une étroite bande numérique dans laquelle la somme finalement indiquée nous a semblé représenter une moyenne raisonnable, et si nous disons raisonnable c'est

121

parce que nous aurions pu aussi bien adopter les nombres latéraux de soixante-deux mille cinq cent soixante-dix-neuf ou de soixante-deux mille cinq cent quatre-vingt-une personnes, si la mort inattendue et au tout dernier moment du président de la corporation des pompes funèbres n'était pas venue introduire dans nos calculs un facteur de perturbation. Néanmoins, nous sommes certains que la vérification des décès, laquelle a commencé dès les premières heures du jour suivant, viendra confirmer l'exactitude de nos calculs. Un autre esprit curieux, comme ceux qui interrompent à tout moment le narrateur, se demandera comment les médecins pouvaient savoir à quelles adresses se rendre pour s'acquitter d'une obligation sans laquelle un mort ne saurait être légalement mort, le fût-il indiscutablement. Dans certains cas, inutile de l'indiquer, ce furent les parents du défunt eux-mêmes qui appelèrent leur médecin traitant ou de famille, mais ce recours aurait nécessairement une portée très réduite, puisque ce qu'on recherchait c'était officialiser en un temps record une situation anormale, de façon à éviter que ne se trouve confirmé une fois de plus le dicton qui veut qu'un malheur n'arrive jamais seul, ce qui, appliqué à cette situation, voudrait dire, après la mort subite, la pourriture chez soi. L'on constata alors qu'un premier ministre ne parvient pas par hasard à de si hautes fonctions et, comme l'infaillible sagesse des nations ne se lasse pas de le proclamer, chaque peuple a le gouvernement qu'il mérite, il convient toutefois de faire remarquer à ce propos afin de jeter une lumière totale sur ce sujet, que s'il est vrai que les premiers ministres, bons ou mauvais, ne sont pas tous pareils, il n'en est pas moins vrai que les peuples ne sont pas toujours identiques. Bref, dans un cas comme dans l'autre, cela dépend. Ou c'est selon, si l'on préfère dire la même chose autrement. Comme on le verra, un observateur, même s'il n'est pas très enclin à l'impartialité dans ses jugements, n'hésiterait nullement à reconnaître que le gouvernement sut se montrer à la hauteur de la gravité de la situation. Nous nous souviendrons tous du fait que dans la joie de ces premiers jours délicieux de l'immortalité, finalement si brefs, à laquelle le peuple de ce pays s'abandonna innocemment, une dame, veuve de fraîche date, eut l'idée de célébrer ce bonheur nouveau en suspendant le drapeau national au balcon fleuri de sa salle à manger qui donnait sur la rue. Nous nous souviendrons aussi de la façon dont le pavoisement, en moins de quarante-huit heures, telle une traînée de poudre, s'étendit à tout le pays. Après ces sept mois de désillusions continuelles et difficiles à supporter, quelques rares drapeaux seulement avaient survécu, réduits à des haillons mélancoliques, aux couleurs mangées par le soleil et délavées par la pluie, et au dessin de l'emblème lamentablement désagrégé. Donnant la preuve d'un admirable esprit d'anticipation, le gouvernement, entre autres mesures destinées à adoucir les dommages collatéraux du retour inopiné de la mort, avait instrumentalisé le drapeau de la patrie pour indiquer qu'ici, au troisième étage à gauche, un défunt attendait. Ainsi instruites, les familles blessées par l'odieuse parque envoyèrent un de leurs membres acheter le symbole dans un magasin, le pendirent à la fenêtre et, pendant qu'elles chassaient les mouches du visage du défunt, elles se mirent à attendre le médecin qui viendrait certifier le décès. Reconnaissons que l'idée était non seulement efficace, mais aussi fort élégante. Les médecins de chaque ville, bourgade, village ou simple hameau, en voiture, à bicyclette ou à pied, n'avaient plus qu'à parcourir les rues, l'œil attentif au drapeau, monter dans l'appartement ainsi signalé et, ayant vérifié le décès à l'œil nu, sans l'aide d'instruments, dans la mesure où d'autres examens plus minutieux du corps étaient impossibles du fait de l'urgence, ils laissaient un papier signé qui tranquilliserait les pompes funèbres quant à la nature spécifique de la matière première, c'est-à-dire que si dans telle maison endeuillée elles étaient venues quérir un lièvre elles n'en emporteraient pas un chat. Comme on l'aura déjà compris, l'utilisation réitérée du drapeau national eut un double objectif et un double avantage. Ayant commencé par servir de boussole aux médecins, il fut ensuite un phare pour les emballeurs de cadavres. Dans le cas des grandes villes et, à la différence de la capitale, métropole disproportionnée par rapport à la petite taille du pays, la division de l'espace urbain en tranches afin d'établir des quotas de participation proportionnelle au gâteau, comme l'avait nommé avec beaucoup d'esprit l'infortuné président de l'association des pompes funèbres, facilita grandement la tâche des courtiers en fret humain dans leur course contre la montre. Un autre effet secondaire du drapeau, imprévu, inattendu, mais qui montra combien nous pouvons nous tromper quand nous nous attachons à cultiver un scepticisme systématique, fut le geste vertueux d'un certain nombre de citoyens respectueux des traditions les mieux enracinées du plus parfait comportement social et qui portaient encore le chapeau, de se découvrir en passant devant les fenêtres ornementées, laissant flotter dans l'air un doute admirable quant à la question de savoir s'ils le faisaient en l'honneur du défunt ou du symbole vivant et sacré de la patrie.

Les journaux, inutile de le préciser, furent achetés en grand nombre, plus encore que lorsqu'il semblait que les gens avaient cessé de mourir. Il est évident que beaucoup avaient déjà été informés par la télévision du cataclysme qui s'était abattu sur leur tête, beaucoup avaient même des parents morts à la maison qui attendaient le médecin et des drapeaux qui pleuraient sur les balcons, mais il ne sera pas très difficile de comprendre qu'il existe une certaine différence entre l'image d'un directeur général nerveux parlant hier soir sur le petit écran et ces pages convulsives, agitées, émaillées de titres exclamatifs et apocalyptiques, qui peuvent se plier, se glisser dans une poche et se relire chez soi à loisir et dont nous nous contenterons de glaner quelques exemples expressifs, Après Le Paradis L'Enfer, La Mort Mène Le Bal, Immortels Pendant Peu De Temps, De Nouveau Condamnés À Mourir, Échec Et Mat, Dorénavant Avertissement Préalable, Sans Appel Et Sans Remède, Une Lettre De Couleur Violette, Soixante-Deux Mille Morts En Moins D'Une Seconde, La Mort Attaque À Minuit, Personne N'Échappe À Son Destin, Sortir Du Rêve Pour Tomber Dans Le Cauchemar, Retour À La Normale, Qu'Avons-Nous Fait Pour Mériter Cela, etc., etc. Tous les journaux, sans exception, publiaient en première page le manuscrit de la mort, mais l'un d'eux, pour en faciliter la lecture, reproduisit le texte en corps quatorze dans un encadré, en corrigea la ponctuation et la syntaxe, améliora la concordance des temps, mit des majuscules là où elles manquaient, sans oublier la signature à la fin qui de mort devint Mort, différence impossible à apprécier à l'ouïe, mais qui provoqua le jour même la protestation indignée de l'auteure de la missive, également par écrit et sur le même papier de couleur violette. D'après l'opinion autorisée d'un grammairien consulté par le journal, la mort ne maîtrisait tout bonnement pas les premiers rudiments de l'art d'écrire. En outre, dit-il, sa calligraphie est étrangement irrégulière, on dirait que s'y trouvent réunies toutes les façons connues, possibles et aberrantes de tracer les lettres de l'alphabet latin, comme si chacune avait été écrite par une personne différente, mais cela serait encore pardonnable, cela pourrait encore être tenu pour un défaut mineur, en comparaison de la syntaxe chaotique, de l'absence de point final, de la non-utilisation de parenthèses absolument indispensables, de l'élimination obsessive des paragraphes, de l'emploi erratique des virgules et, péché sans rémission, de l'abolition intentionnelle et quasiment diabolique de la lettre majuscule qui, peut-on imaginer chose pareille, en vient à être omise dans la signature même de la lettre et remplacée par la minuscule correspondante. Une honte, une provocation, continuait le grammairien qui demandait, Si la mort, qui a eu le privilège insigne d'aider dans le passé les plus grands génies de la littérature, écrit de cette manière, que n'écriront pas demain nos enfants s'ils s'avisaient de vouloir imiter pareille monstruosité philologique, sous prétexte que la mort existant depuis si longtemps, elle devrait tout savoir dans toutes les branches de la connaissance. Et le grammairien de conclure, Les absurdités syntaxiques dont est bourrée cette lamentable lettre me pousseraient à penser que nous sommes confrontés à une gigantesque et grossière mystification, n'était la réalité profondément triste, la douloureuse évidence que la terrible menace a été mise à exécution. Dans l'après-midi de ce même jour, comme nous l'avons déjà annoncé, une lettre de la mort arriva à la rédaction du journal exigeant dans les termes les plus énergiques la rectification immédiate de son nom, Monsieur le directeur, écrivait-elle, je ne suis pas la Mort, je m'appelle simplement mort, la Mort est autre chose, vous ne pouvez pas imaginer ce qu'elle est, vous autres humains, vous connaissez seulement, que le grammairien note que je pourrais tout aussi bien écrire vous, les êtres humains, connaissez seulement la petite mort quotidienne que je suis, celle qui même dans les pires catastrophes est incapable d'empêcher que la vie continue, un jour vous saurez ce qu'est la Mort avec une majuscule et alors, si elle vous en laisse le loisir, ce qui est plus qu'improbable, vous percevrez la différence réelle entre le relatif et l'absolu, entre le plein et le vide, entre être encore et n'être déjà plus, et quand je parle de différence réelle je me réfère à quelque chose que jamais les mots ne pourront exprimer, relatif, absolu, plein, vide, être encore, n'être déjà plus, qu'est-ce que cela veut dire, monsieur le directeur, car les mots, si vous l'ignorez, bougent énormément, ils changent du jour au lendemain, ils sont aussi instables que les ombres, ils sont eux-mêmes des ombres, ils existent et cessent d'exister, ils sont comme des bulles de savon, des coquillages dont on entend à peine la respiration, des troncs coupés, je vous offre gratuitement cette information, je ne touche rien en vous la fournissant, cependant attachez-vous à bien expliquer à vos lecteurs les pourquoi et les comment de la vie et de la mort, et maintenant, pour en revenir à l'objet de cette lettre, écrite de ma propre main comme celle qui fut lue à la télévision, je vous invite instamment à respecter les dispositions révérées de la loi sur la presse qui obligent à rectifier au même endroit et en donnant la même importance graphique à ladite rectification de l'erreur, de l'omission ou du lapsus commis, car si cette lettre n'est pas intégralement publiée, monsieur le directeur, vous vous exposez au risque de vous voir envoyer, dès demain, avec effet immédiat, l'avertissement préalable que je vous ai réservé pour dans quelques années, je ne vous dirai pas combien pour ne pas gâcher le reste de votre vie, veuillez croire, monsieur le directeur, à mes sentiments les meilleurs, mort. La lettre fut publiée très ponctuellement dès le lendemain, avec de profuses excuses de la part du directeur et également en duplicata, c'est-à-dire manuscrite et en lettres moulées, en corps quatorze et dans un encadré. Le directeur ne s'aventura à sortir du bunker dans lequel il s'était claquemuré à septuple tour dès qu'il eut fini de lire la lettre comminatoire que lorsque le journal fut distribué dans les rues. Et il était encore si effrayé qu'il refusa de publier l'étude graphologique qu'un insigne spécialiste en la matière vint lui apporter personnellement. J'ai déjà eu assez d'ennuis comme ça à cause de la signature de la mort avec une majuscule, dit-il, allez apporter votre analyse à un autre journal, nous avons

partagé le mal entre les villages et désormais qu'il en soit fait
selon la volonté de dieu, tout plutôt que d'endurer à nouveau
la frayeur que j'ai vécue. Le graphologue se présenta à un
journal, puis à un autre, puis à un autre encore, et ce fut
seulement à la quatrième fois, sur le point déjà de perdre tout
espoir, qu'il réussit à placer le fruit de tant d'heures de travail
labyrinthique à l'aide d'une loupe, de jour comme de nuit. Le
rapport substantiel et succulent commençait par rappeler que,
depuis ses origines, l'interprétation de l'écriture avait été une
des branches de la physiognomonie, les autres étant, pour
éclairer ceux qui ne connaîtraient pas cette science exacte, la
mimique, la gestuelle, la pantomime et la phonognomonie,
après quoi il citait les plus grandes autorités dans cette matière
complexe, chacun en son temps et lieu, tels que camillo baldi,
johann kaspar lavater, édouard auguste patrice hocquart, adolf
henze, jean-hippolyte michon, william thierry preyer, cesare
lombroso, jules crépieux-jamin, rudolf pophal, ludwig klages,
wilhelm helmuth müller, alice enskat, robert heiss, grâce à qui
la graphologie avait été restructurée sous l'angle psycholo-
gique, l'ambivalence des particularités graphologiques ayant
été mise en lumière ainsi que la nécessité de concevoir leur
expression de façon holistique, après quoi, ayant exposé les
aspects historiques et essentiels de la question, notre graphologue s'était lancé dans une définition exhaustive des caractéristiques principales de l'écriture sub judice, à savoir la taille,
la pression, l'ordonnancement, la disposition dans l'espace,
les angles, la ponctuation, la proportion de traits hauts et bas
dans les lettres, ou, en d'autres termes, l'intensité, la forme,
l'inclinaison, la direction et la continuité des signes gra-
phiques et, finalement, ayant précisé que l'objectif de son
étude n'était pas un diagnostic clinique, ni une analyse de
caractère, ni un examen d'aptitude professionnelle, le spécialiste avait concentré son attention sur les preuves évidentes

d'un rapport avec le milieu de la criminologie que l'écriture révélait à chaque pas, Toutefois, écrivait-il avec un sentiment de frustration peinée, je me trouve confronté à une contradiction que je ne parviens absolument pas à surmonter, je doute même qu'elle soit surmontable, et c'est que, s'il est vrai que tous les vecteurs de l'analyse graphologique méthodique et minutieuse à laquelle j'ai procédé indiquent que l'auteure de l'écrit est ce que l'on appelle un serial killer, une tueuse en série, une autre vérité également irréfutable, résultant aussi de mon analyse et qui d'une certaine façon vient démolir ma thèse antérieure, mais qui a fini par s'imposer à moi, c'est que la personne qui a écrit cette lettre est morte. Il en était bien effectivement ainsi, et la mort elle-même ne put que le confirmer, Le graphologue a raison, dit-elle après avoir lu la démonstration érudite. Simplement, on ne comprenait pas comment, puisqu'elle était morte et entièrement faite d'os, elle était capable de tuer. Et surtout, d'écrire des lettres. Ces mystères ne seront jamais élucidés.

Occupés à expliquer ce qui s'était passé après l'heure fatidique pour les soixante-deux mille cinq cent quatre-vingts personnes en état de vie suspendue, nous avons différé à un moment plus opportun, qui se trouve être celui-ci, les réflexions indispensables sur la façon dont réagirent au changement de situation les foyers du crépuscule heureux, les hôpitaux, les compagnies d'assurances, la maphia et l'église, spécialement la catholique, majoritaire dans le pays, au point qu'on y croyait communément que si monsieur jésus-christ devait répéter de a à z sa première et jusqu'à présent, et que l'on sache, unique existence terrestre, il ne voudrait pas d'autre lieu pour y naître. Dans les foyers du crépuscule heureux, pour commencer par eux, les sentiments furent ceux qu'on aurait attendus. Si on prend en considération le fait qu'un roulement ininterrompu des hospitalisés, comme il fut clairement expliqué dès le début de ces événements surprenants, était la condition même de la prospérité économique des entreprises, le retour de la mort devait être, comme elle le fut, une raison de se réjouir et de se remettre à espérer pour leurs administrations respectives. Passé le choc initial causé par la lecture de la fameuse lettre à la télévision, les administrateurs commencèrent immédiatement à dresser des bilans et ils constatèrent que tous étaient positifs. Maintes bouteilles de champagne furent bues à minuit pour fêter le retour à la normale qu'on n'espérait plus, et ce qui semblait constituer le comble de l'indifférence et du mépris pour la vie d'autrui n'était en fait qu'un soulagement naturel, le défoulement légitime de celui qui, placé devant une porte dont il a perdu la clé, la voit maintenant ouverte, avec le soleil de l'autre côté. Les scrupuleux diront qu'on aurait pu au moins éviter l'ostentation bruyante et niaise du champagne, l'explosion du bouchon, l'écoulement de la mousse et qu'un discret verre de porto ou de madère, un soupçon de cognac dans le café auraient représenté des marques de réjouissance plus que suffisantes, mais nous, ici, qui savons avec quelle facilité l'esprit laisse échapper les rênes du corps quand la joie perd les pédales, même lorsque nous n'avons pas à excuser nous pouvons toujours pardonner. Le lendemain matin, les responsables de l'administration convoquèrent les familles afin qu'elles viennent chercher les corps, ils firent aérer les chambres et changer les draps, et après avoir réuni le personnel pour lui signifier que finalement la vie continuait, ils s'assirent pour examiner la liste des postulants et choisir parmi les candidats ceux qui paraissaient les plus prometteurs. Pour des raisons qui n'étaient pas à tous égards identiques, mais qui doivent aussi être prises en considération, l'humeur des administrateurs des structures hospitalières et de la corporation des médecins s'était améliorée du jour au lendemain. Bien que, comme cela a déjà été signalé, une bonne partie des patients incurables dont la maladie était parvenue à son degré extrême et dernier, si l'on peut licitement appeler ainsi un état nosologique annoncé comme devant être éternel, eût été déjà transférée chez eux et dans le sein de leurs familles, En quelles meilleures mains pourraient se trouver les pauvres diables, se disait-on hypocritement, ce qui est certain, c'est qu'un très grand nombre parmi eux, sans parents connus ni argent pour payer la pension exigée dans les foyers du crépuscule heureux, s'entassaient là pêle-mêle, non plus dans les couloirs, comme c'est la vieille habitude dans ces méritoires établissements d'assistance, hier, aujourd'hui et toujours, mais dans des débarras et des recoins, des combles et des greniers, où ils étaient souvent laissés à l'abandon pendant plusieurs jours, sans que quiconque s'en souciât, car, comme disaient médecins et infirmières, quelle que fût la gravité de leur état, ils ne pouvaient pas mourir. À présent, ils étaient morts, emportés et enterrés, l'air des hôpitaux était redevenu pur et cristallin, avec son arôme si particulier d'éther, de teinture d'iode et de créosote, comme en plein ciel dans les hautes montagnes. On ne déboucha pas de bouteilles de champagne, mais les sourires heureux des administrateurs et des chefs de clinique mettaient du baume au cœur, et quant aux médecins, il n'y a rien d'autre à en dire sinon qu'ils avaient retrouvé l'historique regard carnivore avec lequel ils suivaient des yeux le personnel infirmier féminin. Donc, dans tous les sens du terme, retour à la normale. Quant aux compagnies d'assurances, troisièmes sur la liste, il n'y a pas grand-chose à en dire pour l'heure, dans la mesure où elles n'ont pas encore pu s'entendre sur la question de savoir si la situation présente leur serait préjudiciable ou profitable à la lumière des changements apportés aux polices d'assurance-vie dont nous avons parlé en détail précédemment. Elles ne feront pas un pas sans s'assurer de la fermeté du sol qu'elles foulent, mais, quand enfin elles en feront un, elles y implanteront aussitôt de

131

nouvelles racines sous la forme du contrat le mieux adapté à leurs intérêts qu'elles réussiront à inventer. En attendant, comme l'avenir appartient à dieu et qu'on ne sait pas ce que demain nous réserve, elles continueront à considérer comme morts tous les assurés atteignant l'âge de quatre-vingts ans, cet oiseau, au moins, elles l'ont bien dans la main, il reste à voir simplement si demain elles se débrouilleront pour en faire tomber deux dans leurs rets. D'aucuns prévoient toutefois que, profitant de la confusion qui règne dans la société, placée maintenant plus que jamais entre l'enclume et le marteau, charybde et scylla, l'épée et le mur, il ne serait pas mauvais d'augmenter à quatre-vingt-cinq et même quatre-vingt-dix ans l'âge de la mort actuarielle. Le raisonnement de ceux qui prônent ce changement est transparent et limpide comme l'eau de roche, ils disent qu'arrivés à ces âges-là, les gens, en général, outre qu'ils n'ont déjà plus de parents pour les secourir en cas de besoin ou qu'ils ont des parents aussi vieux qu'eux-mêmes et qui ne servent plus à rien, sont les victimes d'une grave dépréciation du montant de leur pension de retraite à cause de l'inflation et de l'augmentation croissante du coût de la vie, raison pour laquelle ils se voient souvent forcés d'interrompre le paiement de leurs primes d'assurance, donnant ainsi aux compagnies le meilleur prétexte pour considérer leurs contrats comme nuls et non avenus. C'est inhumain, objectaient certaines compagnies. Les affaires sont les affaires, rétorquaient d'autres. Nous verrons ce que cela donnera.

Là où l'on parle aussi beaucoup d'affaires en ce moment, c'est au sein de la maphia. Peut-être parce qu'elle fut excessivement minutieuse, reconnaissons-le sans détour, la description faite dans ces pages des noirs tunnels par lesquels l'organisation criminelle s'infiltra dans l'exploitation des services funéraires pourra avoir conduit certains lecteurs à penser que cette maphia-ci était bien misérable si elle ne disposait pas d'autres moyens de gagner de l'argent avec beaucoup moins d'efforts et bien davantage de bénéfices juteux. Elle en disposait, et de diverses natures, comme n'importe laquelle de ses congénères disséminées dans les sept parties du monde. Toutefois, très habile en matière d'équilibres et de renforcement mutuel des tactiques et des stratégies, la maphia locale ne se bornait pas à miser prosaïquement sur le profit immédiat, ses objectifs étaient bien plus vastes, ils visaient rien moins que l'éternité, à savoir implanter, après un glissement tacite des familles vers la mansuétude de l'euthanasie et avec la bénédiction du pouvoir politique qui ferait semblant de regarder ailleurs, le monopole absolu des morts et des enterrements des êtres humains, assumant par la même occasion la responsabilité de maintenir constamment la démographie aux niveaux convenant le mieux au pays, en ouvrant ou fermant le robinet, pour reprendre l'image précédemment utilisée ou, pour employer une expression plus rigoureuse sur le plan technique, en contrôlant le fluxomètre. Si elle ne pouvait pas, du moins en un premier temps, aiguillonner ou freiner la procréation, il était au moins en son pouvoir d'accélérer ou de retarder les voyages à la frontière, pas la frontière géographique, mais celle de toujours. À l'instant précis où nous venons de pénétrer dans la salle, le débat portait sur la meilleure manière de redéployer dans des activités aussi rémunératrices la force de travail demeurée sans emploi après le retour de la mort et, s'il était vrai que les suggestions ne manquaient pas autour de la table, plus radicales les unes que les autres, on finit par accorder la préférence à quelque chose qui avait déjà fait ses preuves depuis longtemps et qui n'exigeait pas de dispositifs compliqués, à savoir la protection. Dès le lendemain, du nord au sud, dans tout le pays, les établissements de pompes funèbres virent entrer presque toujours deux hommes, parfois un homme et une femme, rarement deux femmes, qui demandaient poliment à voir le gérant auquel ils expliquaient ensuite le plus courtoisement du monde que leur entreprise risquait d'être attaquée ou même détruite à la bombe ou incendiée par les activistes de plusieurs associations illégales de citoyens qui exigeaient l'inclusion du droit à l'éternité dans la déclaration universelle des droits de l'homme et qui, frustrés désormais de ce droit, projetaient de déverser leur ire en faisant tomber le bras pesant de la vengeance sur d'innocentes entreprises, simplement parce qu'elles conduisaient les cadavres à leur dernière demeure. Nous sommes informés, disait un des émissaires, que des actes destructeurs concertés qui pourront aller en cas de résistance jusqu'à l'assassinat du propriétaire et du gérant et de leur famille et, en l'absence de ces personnes, d'un ou deux employés, commenceront dès demain, peut-être dans ce quartier, peut-être dans un autre, Et que puis-je donc faire, demandait en tremblant le pauvre homme, Rien, vous ne pouvez rien faire, mais si vous nous le demandez, nous pourrons vous défendre, Bien sûr que oui, bien sûr que je vous le demande, je vous supplie, Certaines conditions sont à remplir, C'est sans importance, s'il vous plaît, protégez-moi, La première est de ne parler de ce sujet à personne, pas même à votre femme, Je ne suis pas marié, Peu importe, à votre mère, à votre grand-mère, à votre tante, Je n'ouvrirai pas la bouche, Ça vaudra mieux, ou alors vous risquez qu'on vous la ferme pour toujours, Et les autres conditions, Une seule, que vous payez ce qu'on vous dira, Payer, Il nous faudra monter les dispositifs de protection et ça, cher monsieur, ça coûte de l'argent, Je comprends, Nous pourrions même défendre l'humanité entière si elle était disposée à payer le prix, en attendant, puisque un temps succède toujours à un autre, nous n'avons pas encore perdu tout espoir, Je comprends, Heureusement que vous comprenez vite, Combien devrai-je payer, C'est indiqué sur ce papier, Tant que ça, C'est le juste prix, Et c'est par an, ou par mois, Par semaine, C'est trop cher pour ma bourse, on ne s'enrichit pas facilement avec le négoce funéraire, Vous avez de la chance que nous ne vous demandions pas ce que vous estimez être la valeur de votre vie, C'est naturel, je n'en ai pas d'autre, Et vous n'en aurez pas d'autre, nous vous conseillons donc d'essayer de préserver celle-ci, Je vais réfléchir, il faut que je consulte mes associés, Vous disposez de vingt-quatre heures, pas une minute de plus, après quoi nous nous laverons les mains de cette affaire, vous serez entièrement responsable si un accident vous arrive, nous sommes presque sûrs que, comme il s'agira du premier, il ne sera pas mortel, et alors peut-être reprendrons-nous contact avec vous, mais le prix doublera et vous n'aurez plus le choix, il vous faudra payer ce que nous demandons, vous n'imaginez pas combien ces associations de citoyens qui revendiquent le droit à l'éternité sont implacables, Très bien, je paie, Quatre semaines d'avance, s'il vous plaît, Quatre semaines, Votre cas est urgent et comme nous vous l'avons déjà dit, nous avons besoin d'argent pour mettre sur pied les dispositifs de protection, En espèces ou en chèque, En espèces, les chèques sont uniquement pour des transactions d'un autre genre et pour d'autres montants, quand il ne convient pas que l'argent passe directement d'une main à une autre. Le gérant s'en fut ouvrir le coffre, il compta les billets et demanda en les tendant, Donnez-moi un reçu, un document qui garantisse ma protection, Ni reçu ni garantie, vous devrez vous contenter de notre parole d'honneur, D'honneur, Exactement, d'honneur, vous n'imaginez pas à quel point nous honorons notre parole, Où pourrais-je vous trouver si j'ai un problème, Soyez sans crainte, c'est nous qui vous trouverons, Je vous raccompagne, Inutile de vous lever, nous connaissons le chemin, il faut tourner à gauche après le magasin des cercueils, la salle de maquillage, le couloir, la réception, puis la porte donnant sur la rue, Vous n'allez pas vous perdre, Nous avons un excellent sens de l'orientation, nous ne nous perdons jamais,

135

dans cinq semaines quelqu'un viendra ici recouvrer l'argent, Comment saurai-je qu'il s'agit de la personne idoine, Vous n'aurez aucun doute en la voyant, Bonsoir, Bonsoir, inutile de nous remercier.

Enfin, last but not least, l'église catholique, apostolique et romaine avait beaucoup de raisons d'être contente d'elle. Convaincue depuis le début que l'abolition de la mort ne pouvait être que l'œuvre du diable et que pour aider dieu contre les œuvres du démon rien n'est plus puissant que la persévérance dans la prière, elle avait mis de côté la vertu de la modestie qu'elle cultivait ordinairement en faisant de grands efforts et de gros sacrifices pour se féliciter sans réserve du succès de la campagne nationale, dont l'objectif, rappelons-le, était de demander au seigneur dieu d'assurer le retour de la mort le plus vite possible afin d'épargner les pires horreurs à la pauvre humanité, fin de citation. Les prières avaient mis presque huit mois pour parvenir au ciel, mais il convient de rappeler que rien que pour atteindre la planète mars il en faut six, or le ciel, il n'est pas difficile de l'imaginer, est encore beaucoup plus éloigné, à treize mille millions d'années-lumière de la terre, en chiffres ronds. Il y avait toutefois une ombre noire à la légitime satisfaction de l'église. Les théologiens discutaient, et ne parvenaient pas à se mettre d'accord, des raisons qui avaient sans doute poussé dieu à ordonner le retour subit de la mort, sans avoir au moins donné le temps d'administrer l'extrême-onction aux soixante-deux mille moribonds qui, privés de la grâce du dernier sacrement, avaient rendu l'âme en moins de temps qu'il n'en faut pour le dire. Le doute sur le fait que dieu exerçait son autorité sur la mort ou si, au contraire, c'était la mort qui était la supérieure hiérarchique de dieu, torturait en sourdine les esprits et les cœurs de la sainte institution qui tenait l'affirmation audacieuse selon laquelle dieu et la mort étaient les deux faces de la même monnaie pour un abominable sacrilège plutôt que

136

pour une hérésie. C'était ce qui se vivait à l'intérieur de l'église. À l'extérieur, au vu et au su de tout un chacun, c'était sa participation aux funérailles de la reine mère qui préoccupait réellement l'église. Maintenant que les soixante-deux mille morts communs reposaient déjà dans leur dernière demeure et ne perturbaient plus la circulation en ville, le moment était venu de conduire au panthéon royal la vénérable dame, convenablement enclose dans son cercueil de plomb. Comme les journaux ne manqueraient pas de le proclamer, une page de l'histoire était en train d'être tournée.

Il est possible que seule une éducation soignée, phénomène de plus en plus rare, s'accompagnant du respect plus ou
moins superstitieux que le mot écrit instille habituellement
dans les âmes timorées, ait poussé les lecteurs, bien qu'ils ne
manquent pas de raisons pour manifester explicitement des
signes d'impatience mal contenue, à ne pas interrompre ce
que nous avons profusément relaté et à vouloir qu'on leur
dise ce que la mort avait fait depuis le soir fatal où elle avait
annoncé son retour. Étant donné leur rôle important dans ces
événements inouïs, il convenait d'expliquer avec force détails
comment avaient réagi au changement subit et dramatique de
la situation les foyers du crépuscule heureux, les hôpitaux, les
compagnies d'assurances, la maphia et l'église catholique,
toutefois,   sauf si la mort, prenant en considération
l'énorme quantité de défunts qu'il fallait enterrer sur-le-
champ, avait décidé, dans un geste de sympathie inattendu et
louable, de prolonger son absence pendant quelques jours
encore afin de donner le temps à la vie de recommencer à
tourner sur ses axes anciens,   d'autres personnes, décédées de fraîche date, c'est-à-dire pendant les premiers jours
de la restauration du régime antérieur, devraient nécessairement rejoindre les malheureux qui avaient si mal vécu pendant des mois et des mois entre l'ici-bas et l'au-delà, et la

logique voudrait que nous parlions de ces nouveaux morts. Cependant, les choses ne se passèrent pas ainsi, la mort n'eut pas cette générosité. La raison de la pause pendant laquelle, huit jours durant, personne ne mourut et qui créa la fausse illusion que finalement rien n'avait changé, résultait simplement des nouvelles règles en vigueur régissant les relations entre la mort et les mortels, et qui stipulaient que ces derniers seraient avertis par avance qu'ils disposaient encore d'une semaine de vie, pour ainsi dire jusqu'à expiration de l'échéance, pour mettre leurs affaires en ordre, faire leur testament, payer leurs impôts en retard et prendre congé de leur famille et de leurs amis les plus proches. En théorie, cela semblait une bonne idée, mais la pratique ne tarderait pas à démontrer que ce n'était pas vraiment le cas. Imaginez une personne jouissant d'une santé magnifique, qui n'a jamais eu mal à la tête, optimiste par principe et pour des raisons claires et objectives, et qui, un beau matin, en sortant de chez elle pour aller travailler, rencontre dans la rue le facteur serviable de son arrondissement qui lui dit, Heureusement que je vous vois, monsieur untel, j'ai ici une lettre pour vous, et apparaît aussitôt entre ses mains une enveloppe de couleur violette à laquelle il n'avait peut-être pas encore prêté une attention particulière, car il pouvait s'agir d'une impertinence supplémentaire de la part de ces messieurs du publipostage, n'était la calligraphie étrange de son nom, parfaitement identique à celle du fameux fac-similé publié dans le journal. Si au même moment son cœur se serre de frayeur, s'il est envahi du pressentiment lugubre d'un malheur irréparable et si donc il voulait refuser de recevoir la lettre, il ne le pourra pas, ce serait alors comme si quelqu'un, le prenant doucement par le coude, l'aidait à descendre une marche, à éviter la peau de banane par terre, à tourner le coin de la rue sans trébucher sur ses propres pieds. Ce ne sera pas non plus la peine d'essayer de la déchirer en morceaux, on sait déjà que par définition les lettres de la mort sont indestructibles, pas même un chalumeau à acétylène fonctionnant à sa puissance maximale ne serait capable de s'attaquer à elles, et la ruse consistant à feindre qu'elle vous est tombée de la main serait tout aussi vaine car la lettre ne se laisse pas lâcher, elle vous reste comme collée aux doigts et si par miracle le contraire se produisait, il est sûr et certain qu'aussitôt un citoyen complaisant apparaîtrait, la ramasserait et courrait après le faux distrait pour lui dire, Je crois que cette lettre est à vous, elle est peut-être importante, et il devrait répondre mélancoliquement, Oui, elle est importante, je vous remercie beaucoup de votre amabilité. Mais ceci n'aurait pu arriver qu'au début, quand peu de gens encore savaient que la mort utilisait le service postal public comme messager de ses notifications funèbres. En quelques jours, le violet deviendrait la couleur la plus exécrée de toutes, plus encore que le noir, bien qu'il signifie le deuil, et c'est facile à comprendre si on pense que le deuil est porté par les vivants et non par les morts, même quand ceux-ci sont enterrés dans un costume noir. Qu'on imagine le trouble, la détresse, la perplexité de celui qui se rend à son travail et qui voit soudain surgir sur son chemin la mort sous les traits d'un facteur qui ne sonnera pas deux fois, car il suffira à celui-ci de mettre la missive dans sa boîte aux lettres ou de la glisser sous sa porte, si le hasard ne le fait pas rencontrer son destinataire. L'homme est immobile au milieu du trottoir, avec son excellente santé, sa tête solide, si solide qu'elle ne lui fait même pas mal en cet instant malgré le choc terrible, soudain le monde a cessé de lui appartenir, ou lui d'appartenir au monde, l'un est prêté à l'autre pour huit jours, huit jours seulement, c'est dit dans cette lettre de couleur violette qu'il vient d'ouvrir avec résignation, ses yeux voilés de larmes parviennent à peine à en déchiffrer le contenu, Cher monsieur, je regrette de vous avertir que votre vie s'achèvera dans un délai irrévocable et impossible à proroger d'une semaine, profitez le mieux que vous pourrez du temps qui vous reste, votre servante dévouée, mort. La signature comporte la lettre initiale en minuscule, ce qui, comme nous savons, constitue en quelque sorte son certificat d'origine. L'homme est pris de doute, le facteur l'a appelé monsieur untel, il est donc de sexe masculin, et nous l'avons ensuite confirmé nous-mêmes, l'homme se demande s'il doit rentrer chez lui et déverser sa peine irrémédiable sur sa famille ou si, au contraire, il devra ravaler ses larmes et poursuivre son chemin, se rendre là où son travail l'attend, vivre tous les jours qui lui restent, il pourra demander alors, Mort où est ta victoire, sachant cependant qu'il ne recevra pas de réponse, car la mort ne répond jamais, et ce n'est pas qu'elle ne le veuille pas, c'est uniquement parce qu'elle ne sait pas quoi dire, confrontée à la plus grande douleur humaine.

Cet épisode dans la rue, possible uniquement dans un petit pays où tout le monde se connaît, illustre de façon éloquente les inconvénients du système de communication institué par la mort pour la résiliation du contrat temporaire que nous dénommons vie ou existence. Il pourrait s'agir d'une manifestation sadique de cruauté, comme nous en voyons beaucoup chaque jour, mais la mort n'a aucun besoin de se montrer cruelle, retirer la vie aux gens lui suffit largement. Tout simplement, elle n'a pas réfléchi. Et maintenant, absorbée certainement par la réorganisation de ses services logistiques depuis le long arrêt de sept mois, elle n'a ni yeux ni oreilles pour entendre les clameurs de désespoir et d'angoisse des hommes et des femmes qui sont avertis l'un après l'autre de leur mort prochaine, désespoir et angoisse qui provoquent dans certains cas des effets exactement contraires à ceux prévus, à savoir que les personnes condamnées à disparaître ne mettent pas leurs affaires en ordre, ne font pas leur testament, ne paient pas leurs arriérés d'impôts, et quant à leur séparation d'avec leur famille et leurs amis les plus proches, elles attendent la dernière minute, ce qui ne laissera évidemment pas assez de temps ne fût-ce que pour le plus mélancolique des adieux. Mal informés de la nature profonde de la mort, dont l'autre nom est fatalité, les journaux se lancèrent dans de furieuses attaques contre elle, la traitant d'impitoyable, de cruelle, de tyrannique, de méchante, de sanguinaire, de vampire, d'impératrice du mal, de dracula en jupon, d'ennemie du genre humain, de déloyale, d'assassine, de traîtresse, une nouvelle fois de serial killer, et il y eut même un hebdomadaire humoristique qui, pressurant au maximum l'esprit sarcastique de ses créatifs, se débrouilla pour la traiter de fille de pute. Heureusement que le bon sens règne encore dans certaines rédactions. Un des journaux les plus respectables du royaume, doyen de la presse nationale, publia un éditorial sérieux dans lequel il en appelait à un dialogue ouvert et sincère avec la mort, sans réserves mentales, le cœur sur la main et dans un esprit fraternel, au cas où l'on réussirait, évidemment, à découvrir où elle nichait, son terrier, sa tanière, son quartier général. Un autre journal suggéra aux autorités policières d'enquêter dans les papeteries et les usines de papier, dans la mesure où les consommateurs humains d'enveloppes de couleur violette, pour autant qu'il y en eût, et ils devaient être fort peu nombreux, avaient sûrement changé de goût épistolaire au vu des événements récents, ce qui faciliterait la chasse à la cliente macabre quand elle se présenterait pour renouveler son stock. Un autre journal, rival acharné de ce dernier, s'empressa de qualifier cette suggestion de stupidité crasse, car seul un imbécile achevé pourrait avoir l'idée que la mort, squelette entortillé dans un drap, comme chacun sait, sortirait elle-même, faisant tinter ses calcanéums sur les pavés du trottoir pour aller mettre ses lettres à la boîte. Ne voulant pas être en reste par rapport à la presse, la télévision conseilla au ministre de l'intérieur de placer des agents en faction à côté des boîtes aux lettres, oubliant visiblement que la première lettre, celle qui lui avait été adressée, était apparue dans le bureau du directeur général alors que la porte était fermée à double tour et que les vitres des fenêtres étaient intactes. Tout comme le sol, les murs et le plafond ne présentaient pas la moindre fissure par où une lame de rasoir pût s'insinuer. Il était peut-être réellement possible de convaincre la mort de traiter les pauvres condamnés avec davantage de compassion, mais pour cela il fallait commencer par la débusquer, or personne ne savait comment ni où.

Alors, un médecin légiste, bien informé sur tout ce qui avait trait directement ou indirectement à sa profession, eut l'idée de faire venir de l'étranger un célèbre spécialiste en reconstitution de visages à partir de crânes, lequel spécialiste, partant de représentations de la mort sur des peintures et des gravures anciennes, surtout celles qui montrent le crâne à découvert, s'efforcerait de restituer la chair là où elle manquait, de réinsérer des yeux dans les orbites, de distribuer dans des proportions adéquates cheveux, cils et sourcils, de répandre sur les joues les couleurs appropriées, jusqu'à ce que surgisse devant lui une tête parfaite et achevée dont on ferait mille copies photographiques qu'autant d'investigateurs rangeraient dans leur portefeuille pour les comparer à tous les visages de femmes qu'ils croiseraient. L'ennui fut que, une fois terminée l'intervention du spécialiste étranger, seule une vue peu entraînée aurait jugé identiques les trois crânes choisis, et les enquêteurs furent donc obligés de travailler avec trois photos au lieu d'une, ce qui rendit évidemment très difficile la chasse à la mort, comme l'opération avait été ambitieusement dénommée. Une seule chose avait été démontrée sans le moindre doute et c'était que ni l'iconographie la plus rudimentaire, ni la nomenclature la plus embrouillée, ni la symbolique la plus abstruse ne s'étaient trompées. La mort, dans chacun de ses traits, attributs et caractéristiques, était indéniablement une femme. Vous vous souviendrez certainement que la même conclusion avait été tirée par l'éminent graphologue qui avait étudié le premier manuscrit de la mort et parlé d'auteure avec le e du féminin et non pas d'auteur, mais c'était peut-être simplement l'effet de l'habitude, car à l'exception de quelques rares idiomes qui avaient préféré, allez savoir pourquoi, opter pour le masculin ou le neutre, la mort a toujours été une personne de sexe féminin. Bien que cette information ait déjà été fournie, il conviendra, afin qu'on n'oublie pas, d'insister sur le fait que les trois visages, tous de femmes, et de femmes jeunes, différaient les uns des autres sur certains points, et ce, en dépit de ressemblances flagrantes que tous leur reconnaissaient à l'unanimité. Comme l'existence de trois morts distinctes, travaillant par exemple à tour de rôle, n'était pas crédible, il fallait nécessairement exclure deux d'entre elles, encore que, pour compliquer davantage la situation, il pût se faire que le modèle squelettique de la mort réelle et vraie ne correspondît à aucun des trois qui avaient été sélectionnés. Conformément à l'expression toute faite, cela équivalait à tirer dans le noir et espérer que le hasard bienveillant ait le temps de placer la cible sur la trajectoire de la balle.

L'investigation commença, et il ne pouvait en être autrement, par les archives du service officiel d'identification où étaient réunies, classées et rangées par catégories principales, dolichocéphales d'un côté, brachycéphales de l'autre, les photographies de tous les habitants du pays, autochtones comme étrangers. Les résultats furent décevants. En principe, il est évident que puisque les modèles choisis pour la reconstitution faciale avaient été puisés dans des gravures et des peintures anciennes, car, comme nous l'avons signalé, il était impossible d'espérer trouver l'image humaine de la mort dans des systèmes d'identification modernes, institués depuis juste un peu plus d'un siècle, mais, par ailleurs, étant donné que cette même mort existe depuis toujours et qu'on n'entrevoit aucune raison pour qu'elle ait eu besoin de changer de visage au fil du temps, sans compter qu'elle aurait du mal à faire son travail convenablement et à l'abri des soupçons si elle vivait dans la clandestinité, il est parfaitement logique d'admettre l'hypothèse qu'elle se soit fait inscrire sous un faux nom dans les registres de l'état civil, puisque rien n'est impossible pour la mort, comme nous avons plus que l'obligation de le savoir. Quoi qu'il en soit, ce qui est sûr et certain c'est que, bien que les investigateurs aient recouru aux talents des arts de l'informatique pour croiser les données, aucune photographie d'une femme concrètement identifiée ne coïncida avec l'une quelconque des trois images virtuelles de la mort. La seule solution, comme cela avait d'ailleurs déjà été prévu en cas de besoin, fut donc d'en revenir aux méthodes d'investigation classique, au bon vieil artisanat policier consistant à couper et à coudre, à éparpiller dans tout le pays un millier d'agents de l'autorité qui, de maison en maison, de boutique en boutique, de bureau en bureau, d'usine en usine, de restaurant en restaurant, de bar en bar, et même dans les lieux réservés à l'exercice dispendieux du sexe, passeraient en revue toutes les femmes, à l'exclusion des adolescentes et de celles d'un âge mûr ou avancé, puisque les trois photos qu'ils transportaient dans leur poche ne laissaient aucun doute sur le fait que la mort, si on parvenait à la débusquer, serait une femme d'environ trente-six ans et belle comme peu le sont. Selon le modèle obtenu, n'importe laquelle d'entre elles pouvait être la mort, cependant, aucune ne l'était réellement.

Après des efforts gigantesques, après avoir parcouru des lieues et des lieues dans des rues, sur des routes et des chemins, après avoir gravi des escaliers qui, mis bout à bout, les auraient menés au ciel, les agents parvinrent à identifier deux de ces femmes, qui ne différaient des portraits existant dans les archives que parce qu'elles avaient bénéficié d'opérations de chirurgie esthétique, lesquelles, par une coïncidence stupéfiante, par un étrange hasard, avaient accentué les ressemblances avec le visage des modèles reconstitués. Cependant, un examen minutieux de leur biographie élimina sans la moindre marge d'erreur toute possibilité qu'elles se soient un jour consacrées, professionnellement ou en amateur, ne fût-ce que pendant leurs heures creuses, aux activités mortifères de la parque. Quant à la troisième femme, identifiée uniquement grâce à l'album de photographies de la famille, elle était décédée l'an passé. Par simple exclusion des parties, il était impossible que la mort ait été précisément une de ses victimes. Inutile de dire que pendant les investigations qui durèrent plusieurs semaines les enveloppes de couleur violette continuèrent à parvenir à leurs destinataires. Il était évident que la mort n'avait pas renoncé à ses engagements vis-à-vis de l'humanité.

Il faudrait naturellement demander si le gouvernement se contentait d'assister, impavide, au drame quotidien vécu par les dix millions d'habitants du pays. La réponse est double, affirmative d'une part, négative de l'autre. Affirmative, encore qu'uniquement en termes relatifs, car en fin de compte mourir est ce qu'il y a de plus normal et de plus courant dans la vie, un événement de pure routine, un épisode de l'interminable héritage laissé par les parents à leurs enfants, du moins depuis adam et ève. Les gouvernements du monde entier nuiraient considérablement à l'ordre public précaire s'ils se mettaient à décréter trois jours de deuil national chaque fois qu'un vieillard miséreux mourait dans un asile pour indigents. Et elle est négative, car pas même un cœur de pierre ne pourrait rester indifférent devant la preuve palpable que la semaine d'attente édictée par la mort avait pris la proportion d'une véritable calamité collective, pas seulement pour quelque trois cents personnes à la porte desquelles un sort pervers allait frapper quotidiennement, mais aussi pour le reste de la population, rien moins que neuf millions neuf cent quatre-vingt-dix-neuf mille sept cents personnes de tous âges, fortunes et conditions qui voyaient tous les matins, au réveil d'une nuit tourmentée par les plus terribles des cauchemars, l'épée de damoclès suspendue par un fil au-dessus de leur tête. Quant aux trois cents habitants qui avaient reçu la lettre fatidique de couleur violette, les réactions à l'implacable sentence variaient naturellement en fonction du caractère de chacun. Outre les personnes déjà mentionnées qui, poussées par un désir dénaturé de vengeance auquel on pourrait à juste titre appliquer le néologisme de pré-posthume, décidèrent de ne pas s'acquitter de leurs obligations civiques et familiales en ne faisant pas de testament et en ne payant pas leurs arriérés d'impôts, nombreuses furent celles qui, mettant en pratique une interprétation plus que viciée du carpe diem d'horace, gaspillèrent le peu de temps qui leur restait encore en s'adonnant à de répréhensibles orgies sexuelles, à la drogue et à l'alcool, pensant peut-être qu'en se livrant à des excès aussi démesurés elles attireraient sur leur tête un collapsus fulgurant ou, en son absence, la foudre divine qui, en les abattant sur place, les déroberait aux griffes de la mort proprement dite, lui jouant ainsi un sale tour qui lui servirait peut-être de leçon. D'autres personnes, stoïques, dignes, courageuses, optaient pour la radicalité absolue du suicide, croyant aussi donner ainsi une leçon de civilité à thanatos, ce que jadis nous appelions une gifle sans main qui, d'après les honnêtes convictions de l'époque, serait d'autant plus douloureuse qu'elle avait pour origine l'éthique et la morale et non une impulsion primaire venue de la force physique. Inutile de préciser que toutes ces tentatives s'avérèrent vaines, à l'exception de quelques personnes obstinées qui réservèrent leur suicide pour le dernier jour du sursis. Un coup de maître que celui-là, auquel la mort ne trouva pas de riposte.

Honneur lui soit rendu, la première institution à avoir une perception très claire de la gravité de l'état d'esprit de la population en général fut l'église catholique, apostolique et romaine à laquelle, puisque nous vivons dans une époque dominée par une utilisation hypertrophiée des sigles dans la communication quotidienne, publique aussi bien que privée, l'abréviation simplificatrice d'écar ne serait pas malvenue. Il est également vrai qu'il faudrait qu'elle fût complètement aveugle pour ne pas voir comment, presque d'un instant à l'autre, ses temples s'étaient remplis de gens angoissés qui s'y rendaient pour trouver une parole d'espoir, une consolation, un baume, un analgésique, un tranquillisant de l'âme. Des personnes qui avaient vécu jusqu'alors dans la conscience que la mort est inéluctable et qu'il n'y a aucun moyen de lui échapper, mais pensant en même temps que, puisqu'elles étaient si nombreuses à devoir mourir, ce serait vraiment jouer de malchance si c'était déjà leur tour, et elles passaient à présent leur temps à guetter le facteur derrière les rideaux de leur fenêtre ou elles avaient peur de rentrer chez elles où la redoutée lettre de couleur violette, pire qu'un monstre sanguinaire à la gueule grande ouverte, était peut-être tapie derrière la porte pour leur sauter dessus. Les églises ne désemplissaient pas, les longues queues de pécheurs contrits, constamment renouvelées comme si elles étaient des chaînes de montage, faisaient deux fois le tour de la nef centrale. Les confesseurs de service ne baissaient pas les bras, parfois distraits par la fatigue, d'autres fois revigorés par un détail scandaleux de la confession, ils administraient à la fin une pénitence pour la forme, tant de pater noster, tant d'ave maria, et expédiaient une absolution hâtive. Pendant le bref intervalle entre le confessé qui se retirait et le pénitent qui s'agenouillait, ils donnaient un coup de dents dans le sandwich au poulet qui constituerait tout leur déjeuner en imaginant vaguement des compensations pour le dîner. Les sermons portaient invariablement sur le thème de la mort en tant qu'unique porte d'entrée dans le paradis céleste où, disait-on, personne ne pénétrait vivant, et, dans leur désir de consoler, les prédicateurs n'hésitaient pas à recourir à toutes les méthodes de la plus haute rhétorique et à toutes les ficelles de la plus basse catéchèse pour convaincre leurs paroissiens terrifiés qu'en définitive ils pouvaient se considérer plus chanceux que leurs ancêtres, car la mort leur avait octroyé suffisamment de temps pour préparer leur âme à son ascension vers l'éden. Toutefois, certains curés, enfermés dans la pénombre malodorante du confessionnal, durent faire contre mauvaise fortune bon cœur, dieu sait avec quel effort, car eux aussi, le matin même, avaient reçu l'enveloppe de couleur violette et avaient donc des raisons plus que suffisantes de douter des vertus lénitives de ce qu'ils étaient en train de débiter en cet instant.

Il en était de même pour les soigneurs de l'esprit que le ministère de la santé, se précipitant pour imiter les mesures thérapeutiques prises par l'église, avait dépêchés pour secourir les plus désespérés. Il ne fut pas rare qu'un psychologue, au moment précis où il conseillait à son patient de laisser couler ses larmes pour soulager ainsi la douleur qui le tourmentait, fondait en pleurs convulsifs à l'idée que lui aussi pourrait être le destinataire d'une enveloppe identique lors de la première distribution du courrier le lendemain. Tous deux terminaient la séance dans un déluge de larmes, abattus par le même malheur, mais le thérapeute de l'esprit se disait que si cette infortune le frappait, il aurait encore huit jours, cent quatre-vingt-douze heures de vie. Quelques petites orgies sexuelles, de drogue et d'alcool, comme il avait entendu dire qu'on en organisait, l'aideraient à passer dans l'autre monde, même s'il courait le risque que là-haut, sur le siège éthéré où il s'est élevé, sa nostalgie de ce monde-ci s'aggrave.

On dit, et c'est la sagesse des nations qui l'affirme, qu'il n'y a pas de règles sans exception, et il en est sûrement ainsi car même dans le cas de règles que nous tenions tous pour absolument inviolables, comme celle de la mort souveraine qui, par définition, n'admettrait pas qu'une quelconque exception absurde pût se glisser. Or il se trouva qu'une lettre de couleur violette fut retournée à l'expéditeur. On objectera que pareille chose est impossible, que la mort, précisément parce qu'elle est partout, ne peut se trouver dans aucun lieu spécifique, d'où il résulte qu'il est impossible, matériellement comme métaphysiquement, de situer et de définir ce que nous avons coutume d'appeler l'expéditeur, c'est-à-dire, dans l'acception qui nous intéresse ici, l'endroit d'où la lettre est venue. On objectera aussi, bien qu'avec moins de prétention spéculative, que mille agents de police s'étant lancés à la recherche de la mort pendant plusieurs semaines, passant le pays entier au peigne fin, maison après maison, comme s'il s'agissait d'un pou fuyant et expert en l'art de feindre, et, n'en ayant pas aperçu l'ombre, il est évident que si jusqu'à maintenant on ne nous a pas expliqué comment les lettres de la mort sont acheminées par la poste, on nous dira encore moins par quelles voies mystérieuses la lettre retournée parvint entre ses mains. Reconnaissons humblement que des explications manquent, celles-ci et sûrement bien d'autres, et avouons que nous ne sommes pas en mesure de les fournir à la satisfaction de qui nous les demande, sauf si, abusant de la crédulité du lecteur et faisant fi du respect dû à la logique des événements, nous ajoutions de nouvelles réalités à l'irréalité congénitale de la fable. Nous comprenons aisément que ces défauts nuisent gravement à sa crédibilité, cependant, rien de cela ne signifie que la lettre de couleur violette en question n'ait pas été effectivement renvoyée à l'expéditeur. Les faits sont les faits, et celui-ci, qu'on le veuille ou non, appartient à la catégorie des faits incontournables. Il ne peut y en avoir de meilleure preuve que l'image de la mort elle-même, enveloppée dans son drap et assise sur une chaise, avec un air de perplexité totale sur son visage osseux. Elle regarde avec méfiance l'enveloppe violette, elle la retourne pour voir si elle y découvre une de ces annotations que les facteurs sont censés inscrire dans des cas pareils, refusé, a changé de domicile, est parti pour un lieu inconnu et pendant un temps indéterminé, décédé, Que je suis bête, murmura-t-elle, comment pourrait-il être décédé puisque la lettre qui devait le tuer est revenue. Elle avait pensé ces derniers mots sans leur prêter beaucoup d'attention, mais elle les reprit aussitôt pour les répéter à haute voix avec une expression songeuse, Elle est revenue. Point n'est besoin d'être facteur pour savoir que revenir n'est pas synonyme de réexpédition, revenir pourrait signifier simplement que la lettre de couleur violette n'est pas parvenue à destination, qu'à un stade quelconque de son trajet il lui est arrivé quelque chose qui lui a fait rebrousser chemin et retourner à son point de départ. Or, les lettres ne peuvent aller que là où on les porte, elles n'ont ni jambes ni ailes et, pour autant qu'on sache, elles ne sont pas dotées de volonté propre, sinon nous pourrions parier qu'elles se refuseraient à transmettre les nouvelles terribles dont elles doivent si souvent être porteuses. Comme dans le cas de cette lettre-ci, reconnut la mort avec impartialité, informer quelqu'un qu'il va mourir à une date précise est la pire des nouvelles, cela revient à se trouver dans le couloir de la mort depuis de nombreuses années et entendre soudain le geôlier dire, Voici ta lettre, prépare-toi. Ce qui est curieux dans cette affaire, c'est que toutes les autres lettres de la dernière expédition ont été remises à leur destinataire, et si celle-ci ne l'a pas été, cela ne peut être dû qu'à un hasard, car tout comme il y a eu des cas, dieu sait avec quelles conséquences, de lettres d'amour qui ont mis cinq ans à parvenir à un destinataire qui habitait à deux pâtés de maisons plus loin, il pourrait aussi se faire que cette lettre-ci soit passée d'une bande de triage à une autre sans que quiconque s'en aperçoive et qu'elle soit retournée ensuite à son point de départ à l'instar d'une personne égarée dans le désert dont le seul recours est de se fier à la trace laissée derrière elle. La solution serait de l'envoyer à nouveau, dit la mort à la faux à côté d'elle, adossée au mur blanc. On ne s'attend pas à ce qu'une faux réponde et celle-ci n'échappa pas à la règle. La mort continua, Si je t'avais envoyée, toi, avec ton goût pour les méthodes expéditives, la question serait déjà réglée, mais les temps ont beaucoup changé dernièrement, il faut moderniser les moyens et les systèmes, se mettre au courant des nouvelles technologies, utiliser par exemple le courrier électronique, j'ai entendu dire que c'est ce qu'il y a de plus hygiénique, on ne fait pas de pâtés et on ne se tache pas les doigts, de plus c'est rapide, au moment même où on ouvre le outlook express de microsoft c'est déjà parti, l'inconvénient c'est que cela m'obligerait à travailler avec deux archives séparées, une pour ceux qui se servent d'un ordinateur et une autre pour ceux qui ne sont pas informatisés, de toute façon nous avons le temps avant de décider, de nouveaux modèles, de nouveaux designs apparaissent continuellement, des technologies de plus en plus perfectionnées, je me résoudrai peut-être un jour à essayer, jusque-là je continuerai à écrire avec un stylo, du papier et de l'encre, cela a le charme de la tradition, et la tradition pèse lourd dans tout ce qui a trait au fait de mourir. La mort regarda fixement l'enveloppe de couleur violette, fit un geste de la main droite et la lettre disparut. Nous apprenons ainsi que, contrairement à ce que tant de gens pensaient, la mort ne porte pas ses lettres à la poste.

Une liste de deux cent quatre-vingt-dix-huit noms se trouve sur la table, chiffre un peu inférieur à la moyenne habituelle, cent cinquante-deux hommes et cent quarante-six femmes, un nombre égal d'enveloppes et de feuilles de papier de couleur violette destinées à la prochaine opération postale, ou décès-par-courrier. La mort ajouta à la liste le nom de la personne à qui la lettre retournée était destinée, elle souligna les mots et posa le stylo sur le porte-plume. Si elle était dotée de nerfs, nous pourrions dire qu'elle était légèrement excitée, et cela non sans raison. Elle avait trop vécu pour considérer le retour de la lettre comme un incident dépourvu d'importance. On comprendra aisément, un peu d'imagination suffira, que le poste de travail de la mort est sans doute un des plus monotones parmi tous ceux qui ont été créés depuis que caïn a occis abel par la faute exclusive de dieu. Après un épisode aussi affli-geant, qui démontra dès le commencement du monde combien il est difficile de vivre en famille, et cela n'a pas changé depuis, la chose s'était sans cesse répétée pendant des siècles, des siècles et encore des siècles, sans relâche, sans interruption, sans solution de continuité, différente dans les multiples moda-lités du passage de la vie à la non-vie, mais au fond toujours égale dans la mesure où le résultat, lui aussi, était toujours semblable. En vérité, jamais on ne vit que quelqu'un qui devait mourir ne mourut point. Et maintenant, de façon insolite, un avis signé par la mort de sa propre main, un avis annonçant la fin irrévocable et impossible à proroger d'une personne était revenu dans cette pièce froide où l'auteure et signataire de la lettre, assise, enveloppée dans le linceul mélancolique qui est son uniforme historique, capuchon rabattu sur la tête, médite sur l'événement tandis que les os de ses doigts ou ses doigts en os tambourinent sur la table. Elle se surprend à désirer que la lettre envoyée à nouveau lui revienne encore une fois, que l'enveloppe comporte par exemple l'indication Parti pour un lieu inconnu, car assurément ce serait une surprise absolue pour celle qui a toujours réussi à savoir où nous nous cachions, au cas où nous penserions pouvoir lui échapper de cette façon enfantine. Cependant, elle ne croit pas que l'absence supposée sera consignée au verso de l'enveloppe, ici les archives sont mises à jour automatiquement à chaque geste, à chaque mouvement, à chaque pas que nous faisons, changement de domicile, d'état, de profession, de mœurs et de coutumes, si nous fumons ou non, si nous mangeons beaucoup ou peu, ou pas du tout, si nous sommes actifs ou indolents, si nous avons la migraine ou des aigreurs d'estomac, si nous souffrons de constipation ou de diarrhée, si nous perdons nos cheveux ou si nous attrapons un cancer, si oui, si non, si peut-être, il suffira d'ouvrir le grand tiroir du fichier alphabétique, de chercher la fiche appropriée, et tout y sera consigné. Et ne nous étonnons donc pas si à l'instant même où nous lirons notre feuille de route particulière, le choc d'angoisse qui nous a pétrifiés s'y trouve instantanément enregistré. La mort sait tout de nous et c'est peut-être la raison de sa tristesse. S'il est vrai qu'elle ne sourit jamais, c'est uniquement parce qu'elle n'a pas de lèvres, or cette leçon d'anatomie nous dit que, contrairement à ce que croient les vivants, le sourire n'est pas seulement une question de dents. D'aucuns prétendent, avec un humour moins macabre que de mauvais goût, qu'une sorte de sourire permanent est vissé sur sa face, mais ce n'est pas vrai, elle affiche un rictus de souffrance, car le souvenir du temps où elle avait une bouche, et la bouche une langue, et la langue de la salive, la poursuit constamment. Avec un bref soupir, elle attira à elle une feuille de papier et se mit à écrire la première lettre du jour, Chère madame, je regrette de vous avertir que votre vie prendra fin dans le délai irrévocable et impossible à proroger d'une semaine, je souhaite que vous profitiez du mieux que vous pourrez du temps qui vous reste, votre servante dévouée, mort. Deux cent quatre-vingt-dix-huit feuillets, deux cent quatre-vingt-dix-huit enveloppes, deux cent quatre-vingt-dix-huit noms biffés sur la liste, on ne peut pas dire que ce genre de travail soit tuant, mais la vérité c'est que la mort arriva épuisée au bout de sa tâche. D'un geste de la main droite que nous lui connaissons déjà, elle fit disparaître les deux cent quatre-vingt-dix-huit lettres, puis, croisant ses bras maigres sur la table, elle laissa tomber sa tête sur eux, non pas pour dormir, car la mort ne dort pas, mais pour se reposer. Quand, une demi-heure plus tard, remise de sa fatigue, elle la releva, la lettre renvoyée à l'expéditeur et réexpédiée une nouvelle fois était de retour, devant ses orbites stupéfaites et vides.

Si la mort avait espéré qu'une surprise vienne la distraire de la monotonie de la routine, elle était servie. Elle la tenait, sa surprise, et quelle surprise. Le premier renvoi aurait pu être le fruit d'un simple accident de parcours, un rouage sorti de son axe, un problème de lubrification, une lettre bleu ciel pressée d'arriver qui était passée devant l'autre missive, bref, un de ces incidents inattendus qui se produisent dans les entrailles des mécanismes, lesquels, comme avec le corps humain, font échouer les calculs les plus exacts. Déjà, le cas du deuxième renvoi était différent, il signalait clairement la présence d'un obstacle à un certain point du chemin qui aurait dû mener la lettre à l'adresse du destinataire, obstacle contre lequel elle butait, faisait ricochet et revenait en arrière. Dans le premier cas, comme le retour avait eu lieu le lendemain de l'envoi, on pouvait encore envisager l'hypothèse que le facteur, n'ayant pas trouvé la personne à qui la lettre devait être remise, au lieu de la glisser dans la boîte aux lettres ou sous la porte, l'avait renvoyée à l'expéditeur en oubliant de préciser le motif du renvoi. Ce serait trop de coïncidences, mais ce pourrait constituer une bonne explication de ce qui s'était produit. À présent, l'incident avait pris une autre tournure. Entre l'aller et le retour, la lettre n'avait pas mis plus d'une demi-heure, probablement beaucoup moins, car elle se trouvait déjà sur la table lorsque la mort releva la tête du dur appui des avant-bras, c'est-à-dire du cubitus et du radius, entrelacés précisément à cette fin. Une force étrangère, mystérieuse, incompréhensible, semblait s'opposer à la mort de cette personne, en dépit du fait que la date de son décès était fixée depuis le jour de sa naissance, comme pour tout un chacun. C'est impossible, dit la mort à la faux silencieuse, personne au monde ou hors du monde n'a jamais eu plus de pouvoir que moi, moi, je suis la mort, les autres ne sont rien. Elle se leva de la chaise et se dirigea vers le fichier d'où elle revint avec la fiche suspecte. Il n'y avait aucun doute, le nom correspondait bien à celui sur l'enveloppe, l'adresse aussi, la profession était celle de violoncelliste, l'état civil était en blanc, signe que la personne n'était pas mariée, ni veuve, ni divorcée, car dans le fichier de la mort l'état de célibataire ne figure jamais, songeons combien il serait stupide qu'à la naissance d'un bébé, lors de l'établissement de sa fiche, on inscrive, non pas sa profession car le nouveau-né ne sait pas encore quelle sera sa vocation, mais son état civil en spécifiant qu'il est célibataire. Quant à l'âge inscrit sur la fiche que la mort tient dans la main, on peut voir que le violoncelliste a quarante-neuf ans. Or, s'il faut encore une preuve du fonctionnement impeccable des archives de la mort, nous allons l'avoir à l'instant même, lorsque, en un dixième de seconde, ou moins encore, le chiffre quarante-neuf fut remplacé par cinquante devant nos yeux incrédules. C'est aujourd'hui l'anniversaire du violoncelliste titulaire de la fiche, il aurait fallu lui envoyer des fleurs au lieu d'un avis de décès d'ici à huit jours. La mort se leva une nouvelle fois, fit plusieurs fois le tour de la pièce, s'arrêta deux fois devant la faux, ouvrit la bouche pour lui parler, lui demander un avis, lui donner un ordre ou simplement lui dire qu'elle était indécise, perplexe, ce qui, rappelons-le, n'a rien d'étonnant si nous pensons au temps depuis lequel elle exerce cette profession sans avoir jamais pâti jusqu'ici d'un manque de respect de la part du troupeau humain dont elle est la bergère souveraine. Au même instant, la mort eut le pressentiment funeste que l'accident pouvait être encore plus grave qu'elle n'avait cru en un premier temps. Elle se rassit à la table et entreprit de consulter à rebours les listes mortuaires des huit derniers jours. Dès la première liste de noms, celle de la veille, et contrairement à ce à quoi elle s'attendait, elle constata que n'y figurait pas le nom du violoncelliste. Elle continua à feuilleter, une liste, une autre, une autre, une autre encore, une autre encore et ce fut à la huitième seulement qu'enfin elle le trouva. Elle avait pensé erronément que le nom se trouverait sur la liste de la veille et elle se heurtait à présent au scandale inouï que quelqu'un qui aurait déjà dû être mort depuis deux jours était toujours vivant. Et ce n'était pas cela le plus grave. Ce diable de violoncelliste qui depuis sa naissance était voué à mourir jeune, avec à peine quarante-neuf printemps, venait d'en avoir effrontément cinquante, désavouant ainsi le destin, la fatalité, le sort, l'horoscope, le fatum et toutes les autres puissances qui se consacrent à contrarier par tous les moyens, dignes et indignes, notre très humaine envie de vivre. C'était vraiment un désaveu total. Et maintenant, comment vais-je rectifier une erreur qui ne peut pas s'être produite, car ce cas est sans précédent, il n'est pas prévu dans les règlements, se disait la mort, d'autant plus que c'était à quarante-neuf ans qu'il aurait dû mourir et pas à ces cinquante ans qu'il a déjà. On voyait que la pauvre mort était décontenancée, déboussolée, que l'angoisse allait l'amener à se frapper la tête contre les murs. Pendant tous ces milliers de siècles d'activité incessante elle n'avait jamais connu de panne opérationnelle, et maintenant, juste au moment où elle avait introduit une innovation dans la relation classique entre les mortels et leur authentique et unique causa mortis, voici que sa réputation, conquise de haute lutte, venait d'essuyer le plus cuisant des revers. Que faire, demanda-t-elle, imaginons que le fait qu'il ne soit pas mort quand il le devait l'ait placé en dehors de ma juridiction, comment vais-je sortir de ce mauvais pas. Elle regarda la faux, compagne de tant d'aventures et de massacres, mais celle-ci fit celle qui ne comprenait pas, elle ne répondait jamais, et maintenant, complètement absente, comme si elle avait la nausée du monde, elle reposait sa lame usée et rouillée contre le mur blanc. La mort accoucha alors de sa grande idée, On a coutume de dire jamais deux sans trois, trois est la fois adéquate, c'est le chiffre fixé par dieu, voyons si c'est vraiment comme on dit. Elle fit un geste d'adieu et la lettre renvoyée deux fois disparut de nouveau. Elle ne resta même pas absente pendant deux minutes. Elle était de retour au même endroit que précédemment. Le facteur ne l'avait pas glissée sous la porte, il n'avait pas sonné, mais elle était de retour.

Il ne faut évidemment pas prendre la mort en pitié. Nos plaintes furent innombrables et justifiées et nous n'avons pas à tomber maintenant dans des sentiments de compassion que la mort n'a jamais eu la délicatesse de nous manifester par le passé, bien qu'elle sût mieux que quiconque combien nous étions contrariés par l'obstination avec laquelle, coûte que coûte, elle exécutait ses desseins. Pourtant, tout au moins pendant un bref instant, ce que nous avons sous les yeux ressemble davantage à la statue de la désolation qu'au personnage sinistre qui, d'après ce qu'ont dit plusieurs moribonds à la vue pénétrante, se présente au pied de notre lit à l'heure dernière pour nous adresser un signe analogue à celui qui fait partir les lettres, mais dans le sens contraire, le signe ne dit pas Va là-bas, mais Viens ici. Par un étrange phénomène optique, réel ou virtuel, la mort semble à présent beaucoup plus petite, comme si son ossature avait rétréci, ou alors elle a toujours été ainsi et ce sont nos yeux exorbités par la peur qui font d'elle une géante. Pauvre mort. Elle nous donne envie d'aller poser une main sur son épaule dure, de lui dire à l'oreille, ou plutôt à l'endroit où elle en avait une, sous le pariétal, quelques paroles de réconfort, Ne vous affligez pas, madame la mort, ce sont des choses qui arrivent constamment, nous autres, nous autres les êtres humains, par exemple, nous avons une grande expérience du découragement, de l'échec et de la frustration, et dites-vous bien que nous ne baissons pas les bras pour autant, songez au temps jadis où vous nous fauchiez sans douleur ni pitié dans la fleur de notre jeunesse, songez au temps actuel où avec la même dureté de cœur vous continuez à faire de même aux personnes qui manquent le plus de ce qui est indispensable à la vie, nous avons probablement essayé de voir qui se fatiguerait le premier, vous, madame, ou nous, je comprends votre chagrin, la première défaite est celle qui coûte le plus, ensuite on s'habitue, en tout cas ne prenez pas en mauvaise part le fait que je vous dise plaise à dieu que ce ne soit pas la dernière, et je ne le dis pas par esprit de vengeance, ce serait une bien pauvre vengeance, ce serait comme tirer la langue au bourreau qui va nous couper la tête, en vérité, nous, les humains, nous ne pouvons guère faire plus que tirer la langue au bourreau qui va nous couper la tête, ce doit être pour cette raison que j'éprouve une curiosité immense de savoir comment vous allez vous sortir du mauvais pas dans lequel vous vous trouvez à cause de cette histoire de lettre qui va et vient et de ce violoncelliste qui ne pourra pas mourir à quarante-neuf ans parce qu'il en a déjà cinquante. La mort fit un geste d'impatience, elle secoua sèchement de son épaule la main fraternelle que nous y avions posée et elle se leva de la chaise. Maintenant, elle paraissait plus grande, avec un corps plus étoffé, une madame la mort comme il se doit, capable de faire trembler le sol sous ses pieds, son suaire traînant par terre soulevant de la fumée à chaque pas. La mort est fâchée. Le moment est venu pour nous de lui tirer la langue.

À l'exception de quelques rares cas, comme ceux des moribonds au regard pénétrant déjà cités qui l'ont aperçue au pied du lit avec l'aspect classique d'un fantôme enveloppé dans de la toile blanche ou, comme cela semble être arrivé à proust, sous la figure d'une grosse femme vêtue de noir, la mort est discrète, elle préfère qu'on ne remarque pas sa présence, surtout si les circonstances l'obligent à sortir dans la rue. On croit généralement que puisque la mort est, comme d'aucuns l'affirment, la face d'une monnaie dont dieu est l'autre face, elle est comme lui invisible par nature. Or ce n'est pas exactement le cas. Nous sommes les témoins dignes de foi que la mort est un squelette entortillé dans un drap, qu'elle habite dans une pièce froide en compagnie d'une vieille faux rouillée qui ne répond pas aux questions, entourée de murs blanchis à la chaux le long desquels sont rangés au milieu de toiles d'araignées plusieurs douzaines de fichiers munis de grands tiroirs remplis de fiches. On comprendra donc que la mort ne souhaite pas apparaître aux gens dans cet appareil, tout d'abord pour des raisons d'esthétique personnelle et ensuite pour que les malheureux passants ne trépassent pas de frayeur en rencontrant de face ces grandes orbites vides au détour d'une rue. En public, certes, la mort devient invisible, mais pas en privé, comme purent le vérifier au moment critique l'écrivain marcel proust et les moribonds à la vue pénétrante. Le cas de dieu, lui, est différent. Il aura beau faire, jamais il ne deviendra visible à des yeux humains, et ce n'est pas qu'il en soit incapable puisqu'à dieu rien n'est impossible, mais c'est parce qu'il ne saurait quelle mine prendre pour se présenter à des êtres qu'il est censé avoir créés et que très probablement il ne reconnaîtrait pas, ou alors, plus grave encore, qui ne le reconnaîtraient pas. D'aucuns disent aussi que c'est une grande chance pour nous que dieu ne veuille pas nous apparaître, car la frayeur que nous avons de la mort ne serait rien à côté de l'épouvante dont nous serions saisis si nous apercevions dieu. Bref, de dieu et de la mort on ne nous a raconté que des sornettes, et celle-ci n'en est qu'une de plus.

Or voici que la mort décida d'aller en ville. Elle se défit de son drap qui était son seul vêtement, elle le plia soigneusement et le suspendit au dos de la chaise sur laquelle nous l'avons vue s'asseoir. À l'exception de cette chaise et de la table, à l'exception aussi des fichiers et de la faux, il n'y a rien d'autre dans cette pièce, sauf la porte étroite dont nous ignorons où elle mène. Étant apparemment l'unique sortie, il serait logique de penser que c'est par là que la mort se rendra en ville, toutefois, il n'en sera pas ainsi. Sans son drap, la mort perdit à nouveau de sa hauteur, elle doit mesurer tout au plus, en taille humaine, un mètre soixante-six ou soixante-sept et, étant nue, sans le moindre vêtement sur le dos, elle nous paraît encore plus petite, presque un menu squelette d'adolescente. Personne ne dirait que c'est la même mort qui avait secoué avec tant de violence notre main posée sur son épaule lorsque, mus par une pitié imméritée, nous avions voulu la consoler de sa tristesse. Réellement, il n'y a rien de plus nu au monde qu'un squelette. Vivant, le squelette est doublement vêtu, d'abord de la chair sous laquelle il se cache, puis, s'il ne les retire pas pour se baigner ou pour des activités plus délectables, des vêtements

166

dont ladite chair aime à se couvrir. Réduit à ce qu'il est en réalité, à l'assemblage à moitié démantibulé de quelqu'un qui a cessé d'exister depuis longtemps, il ne lui reste plus qu'à disparaître. Et c'est précisément ce qui est en train de lui arriver, de la tête aux pieds. Devant nos yeux ébahis, les os perdent de leur consistance et de leur dureté, leurs contours s'estompent progressivement, ce qui était solide devient gazeux, se répand de toutes parts à la façon d'une brume ténue, comme si le squelette s'évaporait, à présent il n'est plus qu'une ébauche imprécise à travers laquelle on peut apercevoir la faux indifférente, et soudain la mort a cessé d'être là, elle était là et n'est plus là, ou alors elle est là, mais nous ne la voyons plus, ou même pas, elle a simplement traversé le plafond de la pièce souterraine, l'énorme masse de terre qui se trouve au-dessus, et elle est partie, comme elle avait décidé en son for intérieur de le faire après que la lettre de couleur violette lui avait été retournée pour la troisième fois. Nous savons où elle va. Elle ne pourra pas tuer le violoncelliste, mais elle veut le voir, l'avoir sous les yeux, le toucher sans qu'il s'en aperçoive. Elle est certaine qu'elle pourra découvrir comment le liquider un jour prochain sans trop enfreindre les règlements, mais entre-temps elle saura à quoi ressemble cet homme que les avis de mort n'ont pas réussi à atteindre, quels pouvoirs il possède, le cas échéant, ou si, comme un idiot innocent, il continue à vivre sans que l'effleure l'idée qu'il devrait déjà être mort. Enfermés ici, dans cette pièce froide dépourvue de fenêtres et munie d'une porte étroite dont on ne connaît pas l'utilité, nous ne nous étions pas rendu compte de la vitesse avec laquelle le temps passait. Il est trois heures du matin bien sonnées, la mort doit déjà être chez le violoncelliste.

C'est effectivement le cas. Une des choses qui fatiguent toujours le plus la mort c'est l'effort qu'elle doit faire sur elle-même pour voir tout ce qui se présente partout et simultanément à ses yeux. Sur ce plan-là aussi, elle ressemble beaucoup à dieu. Voyons un peu. Bien qu'en réalité ce fait ne soit pas inclus parmi les données vérifiables de l'expérience sensorielle humaine, nous avons été habitués depuis l'enfance à croire que dieu et la mort, ces entités suprêmes, sont en même temps partout, qu'elles sont omniprésentes, mot mâtiné de latin et de grec comme tant d'autres. À la vérité, cependant, il se peut bien qu'en pensant cela, et peut-être encore plus en le disant, vu la légèreté avec laquelle les mots nous sortent d'habitude de la bouche, nous n'ayons pas clairement conscience de leur signification éventuelle. Il est facile de dire que dieu et la mort sont partout, mais visiblement nous ne nous rendons pas compte que si réellement ils sont partout, alors obligatoirement dans tous les endroits innombrables où ils se trouvent ils voient partout tout ce qu'il y a à voir. De dieu, qui à cause des devoirs de sa charge se trouve simultanément dans tout l'univers, car autrement l'avoir créé n'aurait aucun sens, ce serait une prétention ridicule que d'attendre qu'il manifeste un intérêt particulier pour ce qui se passe sur la petite planète terre, laquelle, d'ailleurs, et ce ne sera peut-être venu à l'esprit de personne, laquelle est connue de lui sous un nom complètement différent, mais la mort, elle, cette mort qui, comme nous l'avons dit plusieurs pages plus haut, est réservée exclusivement à l'espèce humaine, ne nous quitte pas des yeux une seule minute, si bien que même ceux qui pour l'instant ne vont pas encore mourir sentent son regard les poursuivre constamment. On pourra donc se faire ainsi une idée de l'effort herculéen que la mort fut obligée de déployer les rares fois où, pour une raison ou pour une autre, tout au long de notre histoire humaine, elle dut abaisser ses capacités perceptives à la hauteur de celles des êtres humains, de façon à voir chaque chose à tour de rôle et n'être à chaque instant qu'en un seul endroit. Dans le cas qui nous occupe aujourd'hui c'est la seule explication du fait qu'elle n'a pas encore franchi le seuil de l'appartement du violoncelliste. À chaque pas qu'elle fait, et si nous parlons de pas c'est uniquement pour aider l'imagination de notre lecteur et non parce que la mort se déplace réellement comme si elle était dotée de jambes et de pieds, elle doit beaucoup lutter pour réprimer la tendance expansionniste inhérente à sa nature qui, si elle était laissée en liberté, ferait aussitôt exploser et se disperser dans l'espace l'unité précaire et instable qui est la sienne et qui a été agrégée avec tant de peine. La distribution des pièces dans l'appartement du violoncelliste qui n'a pas reçu la lettre de couleur violette est celle de la strate économique aisée, et donc plus propre à un petit-bourgeois sans horizon qu'à un disciple d'euterpe. On entre par un corridor où dans l'obscurité on distingue difficilement cinq portes, dont l'une au fond qui donne accès à la salle de bains, nous le signalons d'emblée afin de ne pas avoir à revenir à ce sujet, et deux de chaque côté. La première sur la droite, par où la mort décide de commencer son inspection, ouvre sur une petite salle à manger qui ne paraît pas être beaucoup utilisée, laquelle communique à son tour avec une cuisine encore plus exiguë, équipée de l'essentiel. De là, on sort de nouveau dans le corridor, juste en face d'une porte que la mort n'eut pas besoin de toucher pour savoir qu'elle est hors d'usage, c'est-à-dire qu'elle ne s'ouvre ni ne se ferme, façon de s'exprimer contraire à la simple démonstration, car une porte dont on dit qu'elle ne s'ouvre ni ne se ferme est uniquement une porte fermée impossible à ouvrir, une porte condamnée, comme on dit aussi habituellement. Bien entendu, la mort pourrait la traverser ainsi que tout ce qui se trouverait éventuellement derrière, mais si elle a eu tant de mal, même si elle continue à demeurer invisible pour des yeux vulgaires, à s'agréger et à se définir en revêtant une forme plus ou moins humaine, encore que pas au point d'avoir des jambes et des pieds comme nous l'avons déjà dit, ce n'est pas pour courir maintenant le risque de se laisser aller et de se disperser à l'intérieur du bois d'une porte ou du placard rempli de vêtements qui se trouve sûrement de l'autre côté. La mort avança dans le corridor jusqu'à la première porte sur la droite du visiteur et, de là, elle pénétra dans le salon de musique, car quel autre nom donner à une pièce où se trouvent un piano ouvert et un violoncelle, un pupitre avec les trois pièces de la fantaisie opus soixante-treize de robert schumann, comme la mort put le lire grâce à un réverbère de l'éclairage public dont la faible lumière orangée filtrait par les deux fenêtres, et aussi plusieurs piles de cahiers dispersées ici et là, sans oublier les hautes étagères de livres où la littérature a tout l'air de coexister dans la plus parfaite harmonie avec la musique, aujourd'hui science des accords après avoir été fille d'arès et d'aphrodite. La mort caressa les cordes du violoncelle, passa doucement le bout des doigts sur les touches du piano, mais elle seule pouvait distinguer le son des instruments, d'abord une longue plainte grave, puis un bref gazouillement d'oiseau, inaudibles tous deux pour des oreilles humaines, mais clairs et distincts pour qui avait appris depuis si longtemps à interpréter le sens des soupirs. C'est dans la chambre à côté que l'homme doit dormir. La porte est ouverte, la pénombre, bien que plus épaisse que dans le salon de musique, laisse entrevoir un lit et la silhouette d'une personne couchée. La mort avance, franchit le seuil, mais s'arrête, indécise, en sentant la présence de deux êtres vivants dans la chambre. Connaissant certaines choses de la vie, encore que, naturellement, pas par expérience personnelle, la mort pensa que l'homme avait de la compagnie, qu'une autre personne dormait à côté de lui, quelqu'un à qui elle n'avait pas encore envoyé la lettre de couleur violette, mais qui partageait dans cet appartement la protection des mêmes draps et la chaleur de la même couverture. Elle s'approcha davantage, frôlant presque la table de chevet, et elle constata que l'homme était seul. Toutefois, de l'autre côté du lit, enroulé comme un écheveau sur le tapis, dormait un chien de taille moyenne, au poil sombre, probablement noir. Pour autant qu'elle s'en souvienne, c'était la première fois que la mort se surprenait à penser que, comme elle ne sert que pour la mort des êtres humains, cet animal se trouvait hors de portée de sa faux symbolique, qu'il ne pourrait être atteint, fût-ce légèrement, par son pouvoir, et que par conséquent ce chien endormi pourrait lui aussi devenir immortel et on verrait bientôt pendant combien de temps, si sa mort à lui, l'autre, celle qui se charge des autres êtres vivants, animaux et végétaux, s'absentait comme elle-même l'avait fait et que donc quelqu'un aurait une bonne raison d'écrire à l'orée d'un autre livre Le lendemain, pas un seul chien ne mourut. L'homme remua, peut-être rêvait-il, peut-être continuait-il à jouer les trois pièces de schumann et venait-il de faire une fausse note, un violoncelle n'est pas comme un piano, les notes d'un piano sont toujours aux mêmes endroits, sous chaque touche, tandis qu'un violoncelle, lui, les éparpille tout le long de ses cordes, il faut aller les chercher, les fixer, tomber sur l'endroit exact, déplacer l'archet avec la bonne inclinaison et la pression juste, rien de plus facile, donc, que de se tromper d'une ou deux notes quand on dort. La mort se pencha en avant pour mieux voir le visage de l'homme et au même moment une idée absolument géniale lui vint à l'esprit, elle se dit que les fiches dans ses archives devraient comporter la photo de leur titulaire, pas n'importe laquelle, mais une photo d'une telle avancée scientifique que, de même que les données de l'existence de ces personnes sont constamment et automatiquement mises à jour, de même leur image changerait avec le passage du temps, depuis l'enfantelet ridé et rougeaud dans les bras de sa mère jusqu'au jour d'aujourd'hui, où nous nous demandons si nous sommes vraiment celui que nous avons été ou si un génie à la lampe ne nous remplace pas par quelqu'un d'autre à chaque heure qui passe. L'homme remua à nouveau, on dirait qu'il va se réveiller, mais non, sa respiration a repris son rythme normal, les mêmes treize fois par minute, sa main gauche repose sur son cœur comme si elle en écoutait les pulsations, une note ouverte pour la diastole, une note fermée pour la systole, tandis que la main droite, paume ouverte vers le haut et doigts légèrement incurvés, semble attendre que l'autre vienne se croiser sur elle. L'homme paraît plus âgé que les cinquante ans qu'il vient d'avoir, peut-être pas plus âgé, simplement fatigué et peut-être triste, mais nous ne pourrons le savoir que lorsqu'il ouvrira les yeux. Il n'a plus tous ses cheveux et beaucoup de ceux qui lui restent sont déjà blancs. C'est un homme quelconque, ni laid ni beau. Tel que nous le voyons maintenant, étendu sur le dos avec la veste du pyjama à rayures que le revers du drap ne recouvre pas complètement, personne ne dirait qu'il est le premier violoncelliste d'un orchestre symphonique de la ville, que sa vie s'écoule entre les lignes magiques du pentagramme, peut-être aussi à la recherche du cœur profond de la musique, pause, son, systole, diastole. Encore dépitée par le dysfonctionnement des systèmes de communication de l'état, mais sans l'irritation qu'elle éprouvait en venant ici, la mort regarde le visage endormi et pense vaguement que cet homme devrait déjà être mort, que ce souffle régulier, inspiration, expiration, devrait déjà s'être éteint, que le cœur protégé par la main gauche devrait déjà être immobile et vide, figé à tout jamais dans la dernière contraction. Elle est venue voir cet homme et à présent elle l'a vu, il n'y a rien de particulier en lui qui puisse expliquer les trois renvois de la lettre de couleur violette, elle ferait mieux de retourner dans la froide pièce souterraine d'où elle est venue et de découvrir comment mettre fin une bonne fois pour toutes au maudit hasard qui a fait de ce scieur de violoncelles un survivant de lui-même. Ce fut pour éperonner sa propre contrariété déjà déclinante que la mort utilisa ces deux paires de mots agressifs, maudit hasard, scieur de violoncelles, mais les résultats ne furent pas à la hauteur de l'intention. L'homme qui dort n'est nullement coupable de ce qu'il est advenu de la lettre de couleur violette, il n'imaginerait jamais qu'il est en train de vivre une vie qui ne devrait déjà plus lui appartenir, que si les choses étaient comme elles devraient l'être, il serait déjà enterré depuis au moins huit jours et que le chien noir serait maintenant en train de parcourir la ville comme un fou à la recherche de son maître, ou qu'il serait assis à l'entrée de l'immeuble, sans manger ni boire, en attendant son retour. L'espace d'un instant, la mort se laissa aller, se répandit jusqu'aux murs, emplit toute la pièce et s'étira comme un fluide jusqu'au salon contigu, et là, une partie d'elle-même s'arrêta pour regarder le cahier ouvert sur une chaise, c'était la suite numéro six opus mille douze en ré majeur de johann sebastian bach, composée à köthen, et elle n'avait pas besoin d'avoir appris la musique pour savoir qu'elle avait été composée, comme la neuvième symphonie de beethoven, dans la tonalité de la joie, de l'unité entre les hommes, de l'amitié et de l'amour. Se produisit alors quelque chose d'inouï, d'inimaginable, la mort tomba à genoux, à présent elle était tout entière un corps reconstitué, elle avait donc des genoux et des jambes et des pieds et des bras et des mains et un visage qui se cachait entre les mains, et des épaules qui tremblaient on ne savait pourquoi, elle n'est sûrement pas en train de pleurer, on ne peut pas en demander autant à quelqu'un qui laisse toujours un sillage de larmes partout où elle passe, mais sans qu'aucune émane d'elle. Telle qu'elle était, ni visible, ni invisible, ni squelette, ni femme, elle se releva du sol comme un souffle et entra dans la chambre. L'homme n'avait pas bougé. La mort pensa, Je n'ai plus rien à faire ici, je m'en vais, ça ne valait pas la peine d'être venue pour regarder un homme et un chien dormir, peut-être rêvent-ils l'un de l'autre, l'homme du chien, le chien de l'homme, le chien rêvant que c'est déjà le matin et qu'il pose la tête à côté de celle de l'homme, l'homme rêvant que c'est déjà le matin et que son bras gauche étreint le corps chaud et doux du chien et l'attire contre sa poitrine. À côté de la penderie placée contre la porte donnant accès au corridor se trouve un petit canapé où la mort alla s'asseoir. Elle ne l'avait pas décidé, mais elle alla s'asseoir là, dans ce coin, se souvenant peut-être du froid qu'il faisait à cette heure-là dans la pièce souterraine des archives. Ses yeux sont à la hauteur de la tête de l'homme, elle en distingue le profil qui se découpe nettement sur le fond de la vague luminosité orangée qui pénètre par la fenêtre et elle se répète à elle-même qu'elle n'a aucun motif raisonnable pour demeurer là, mais elle se rétorque aussitôt à elle-même que si, elle a un motif, et puissant, car c'est la seule maison de la ville, du pays, du monde entier, où existe quelqu'un qui est en train d'enfreindre une des règles les plus sévères de la nature, celle qui impose la vie aussi bien que la mort, qui ne t'a pas demandé si tu voulais vivre, qui ne te demandera pas non plus si tu veux mourir. Cet homme est mort, pensa-t-elle, tout ce qui devait mourir est déjà mort avant, il faut simplement que je lui donne une légère chiquenaude avec le pouce ou que je lui envoie la lettre de couleur violette qu'il est impossible de refuser. Cet homme n'est pas mort, pensa-t-elle, il se réveillera dans quelques heures, il se lèvera comme tous les autres jours, il ouvrira la porte du jardin pour que le chien se déleste de ce qu'il a en trop dans le corps, il prendra son petit déjeuner, il entrera dans la salle de bains d'où il émergera soulagé, propre et rasé, il sortira peut-être dans la rue avec le chien pour aller avec lui acheter le journal au kiosque du coin, il s'assoira peut-être devant le pupitre pour jouer une fois de plus les trois pièces de schumann, il pensera peut-être ensuite à la mort comme tous les êtres humains doivent le faire obligatoirement, pourtant il ignore qu'en cet instant c'est comme s'il était immortel car cette mort qui le regarde ne sait pas comment elle devra le tuer. L'homme a changé de posture, il a tourné le dos au placard qui condamnait la porte et a laissé glisser son bras droit du côté du chien. Une minute plus tard, il était réveillé. Il avait soif. Il alluma la lampe sur la table de chevet, se leva, enfila les pieds dans les pantoufles qui se trouvaient comme toujours sous la tête du chien et alla dans la cuisine. La mort le suivit. L'homme se versa de l'eau dans un verre et but. Le chien apparut au même moment, étancha sa soif dans l'écuelle à côté de la porte menant au jardin, puis leva la tête vers l'homme. Tu veux sortir, bien sûr, dit le violoncelliste. Il ouvrit la porte et attendit que l'animal revienne. Un peu d'eau était restée au fond du verre. La mort le regarda, essaya d'imaginer ce que c'était d'avoir soif, mais n'y parvint pas. Elle n'y serait pas non plus parvenue quand elle avait dû tuer des gens de soif dans le désert, mais à l'époque elle n'avait même pas essayé. Déjà l'animal revenait en frétillant de la queue. Allons dormir, dit l'homme. Ils retournèrent dans la chambre, le chien fit deux tours sur lui-même et se coucha roulé en boule. L'homme se couvrit jusqu'au cou, toussa deux fois et s'endormit peu après. Assise dans son coin, la mort regardait. Beaucoup plus tard, le chien se leva du tapis et grimpa sur le canapé. Pour la première fois de sa vie, la mort sut ce que c'était que d'avoir un chien sur les genoux.

Chacun peut avoir des moments de faiblesse dans la vie, et, s'il n'en a pas aujourd'hui, il en aura sûrement demain. Tout comme sous la cuirasse en bronze d'achille on vit battre un cœur sentimental, il suffira de se rappeler les affres de la jalousie dont souffrit le héros dix ans durant, après qu'agamemnon lui eut dérobé sa bien-aimée, la captive briséis, et ensuite la terrible colère qui le poussa à retourner à la guerre en criant d'une voix de stentor contre les troyens lorsque son ami patrocle fut tué par hector, de même sous la plus impénétrable des armures forgées jusqu'à ce jour et avec la promesse qu'il en sera ainsi jusqu'à la consommation définitive des siècles, nous voulons parler du squelette de la mort, de même, donc, il est toujours possible que s'insinue un jour, mine de rien, dans sa carcasse effrayante un suave accord de violoncelle, un trille naïf de piano, ou que la simple vue d'un cahier de musique ouvert sur une chaise te rappelle ce à quoi tu refuses de penser, à savoir que tu n'as pas vécu et que tu auras beau faire, tu ne pourras jamais vivre, sauf si. Tu avais observé avec une attention glacée le violoncelliste endormi, cet homme que tu n'as pas réussi à tuer parce que tu as seulement pu arriver jusqu'à lui lorsqu'il était déjà trop tard, tu avais vu le chien roulé en boule sur le tapis et il ne te serait même pas permis de toucher à cet animal parce que tu n'es pas sa mort, et dans la pénombre tiède de la chambre ces deux êtres vivants livrés au sommeil et qui t'ignoraient servirent uniquement à alourdir dans ta conscience le poids de l'échec. Toi, qui t'étais habituée à pouvoir ce que personne d'autre ne peut, tu te voyais soudain impuissante, pieds et poings liés, avec ton autorisation de tuer numéro zéro zéro sept sans validité dans cette maison, jamais depuis que tu es la mort, reconnais-le, jamais tu n'avais subi pareille humiliation. Tu es sortie alors de la chambre pour aller dans le salon de musique, tu t'es agenouillée alors devant la suite numéro six pour violoncelle de johann sebastian bach et tu as fait avec les épaules ces mouvements rapides qui chez les êtres humains accompagnent d'habitude les pleurs convulsifs, tes genoux durs appuyés sur le sol dur, ton exaspération s'est évanouie alors soudain comme la brume impondérable en laquelle tu te métamorphoses parfois quand tu ne veux pas être complètement invisible. Tu es retournée dans la chambre, tu as suivi le violoncelliste quand il est allé dans la cuisine boire de l'eau et ouvrir la porte au chien, tu l'avais d'abord vu couché et endormi, tu le voyais maintenant réveillé et debout, peut-être à cause d'une illusion d'optique due aux rayures verticales de son pyjama il semblait beaucoup plus grand que toi, mais c'était impossible, c'était juste une illusion des yeux, une distorsion de la perspective, la logique des faits est là pour nous dire que tu es la plus grande, toi, la mort, plus grande que tout, plus grande que nous tous. Ou peut-être ne l'es-tu pas toujours, peut-être les événements qui se produisent dans le monde s'expliquent-ils par la circonstance, par exemple le clair de lune éblouissant que le musicien se rappelle de son enfance aurait eu lieu en vain s'il avait été endormi, oui, la circonstance, car tu étais de nouveau une petite mort lorsque tu es retournée dans la chambre et que tu t'es assise sur le canapé, et tu t'es faite encore plus petite quand le chien s'est levé du tapis pour grimper sur tes genoux qui avaient l'air d'être ceux d'une petite fille, et alors tu as eu une jolie pensée, tu as pensé qu'il n'était pas juste que la mort, pas toi, l'autre, vienne un jour éteindre le brasier délicat de cette douce chaleur animale, c'est ce que tu as pensé, qui l'eût cru, toi qui es tellement habituée aux froids arctiques et antarctiques qui règnent dans la pièce où tu te trouves en ce moment et où la voix de ton devoir menaçant t'a appelée, le devoir de tuer cet homme endormi sur le visage duquel semblait se dessiner le rictus amer de la personne qui n'a jamais eu une compagnie véritablement humaine dans son lit, qui a conclu un pacte avec son chien pour que chacun rêve de l'autre, le chien de l'homme, l'homme du chien, qui se lève la nuit dans son pyjama à rayures pour aller dans la cuisine étancher sa soif, il serait évidemment plus commode d'apporter un verre d'eau dans la chambre en allant se coucher, mais il ne le fait pas, il préfère sa petite promenade nocturne dans le corridor jusqu'à la cuisine, dans la paix et le silence nocturnes, avec le chien qui le suit immanquablement et qui parfois demande à sortir dans le jardin, parfois non, Cet homme doit mourir, dis-tu.

La mort est à nouveau un squelette enveloppé d'un suaire dont le capuchon lui tombe à moitié sur le front, de façon à dissimuler la partie la plus horrible du crâne, mais tant de précautions étaient inutiles, si telle était bien l'intention, car ici il n'y a personne pour s'effrayer du spectacle macabre, d'autant plus que seules sont visibles les extrémités des os des mains et des pieds, ces derniers reposant sur les dalles du sol dont ils ne perçoivent pas la froideur glacée, les mains feuilletant comme si elles étaient un racloir les pages du volume complet des ordonnances historiques de la mort, depuis le premier de tous les règlements, celui qui fut écrit avec deux simples mots, tu tueras, jusqu'aux addenda et appendices les plus récents dans lesquels toutes les variantes et façons de mourir connues jusqu'à présent se trouvent compilées et on peut dire d'elles que leur liste est inépuisable. La mort ne fut pas étonnée du résultat négatif de sa recherche, à vrai dire il serait incongru, mais surtout superflu, que dans un livre où l'on fixe pour chaque représentant de l'espèce humaine un point final, une conclusion, une condamnation, la mort, figurent des mots comme vie et vivre, comme je vis et je vivrai. Il n'y a de place ici que pour la mort, jamais pour faire état d'hypothèses absurdes comme l'idée que quelqu'un ait réussi à lui échapper. Cela ne s'est jamais vu. Peut-être, en cherchant bien, pourrait-on encore découvrir une fois, une seule fois, le temps verbal j'ai vécu, dans une inutile note en bas de page, mais cette démarche ne fut jamais sérieusement tentée, ce qui mène à conclure qu'il est plus que justifié que le fait d'avoir vécu ne mérite pas même d'être mentionné dans le livre de la mort. Il convient de savoir que l'autre nom du livre de la mort est livre du néant. Le squelette écarta le règlement et se leva. Comme à son habitude quand la mort a besoin de pénétrer au cœur d'une question, elle fit deux fois le tour de la pièce, puis elle ouvrit le tiroir du fichier où se trouvait la fiche du violoncelliste et l'en retira. Ce geste nous rappelle que c'est le moment, et cela ne le sera plus jamais à cause de cette question de circonstance déjà évoquée, de préciser un aspect important concernant le fonctionnement des archives qui font l'objet de notre attention et dont il n'a pas été fait mention jusqu'à présent à cause d'une négligence condamnable de la part du narrateur. Tout d'abord et contrairement à ce qu'on avait peut-être imaginé, les dix millions de fiches rangées dans ces tiroirs n'ont pas été remplies par la mort, elles n'ont pas été rédigées par elle. Il ne manquerait plus que cela, la mort est la mort, pas une secrétaire quelconque. Les fiches apparaissent à leur place, c'est-à-dire archivées par ordre alphabétique, au moment précis de la naissance d'une personne et elles disparaissent à l'instant précis où celle-ci meurt. Avant l'invention des lettres de couleur violette, la mort ne se donnait pas la peine d'ouvrir les tiroirs, l'entrée et la sortie des fiches se sont toujours effectuées sans désordre ni heurts, il ne s'est jamais produit de scènes déplorables où certains déclareraient ne pas souhaiter naître et d'autres protesteraient à grands cris qu'ils ne veulent pas mourir. Les fiches de ceux qui meurent vont, sans que personne les y apporte, dans une pièce située au-dessous de celle-ci, ou plutôt elles prennent place dans une des pièces souterraines qui se succèdent à des niveaux de plus en plus profonds et qui se rapprochent du centre incandescent de la terre, où toute cette paperasse finira un jour par brûler. Ici, dans la pièce de la mort et de la faux, il serait impossible de fixer un critère ressemblant à celui qui fut adopté par ce conservateur de l'état civil qui décida de réunir en une unique archive tous les noms et tous les papiers des vivants et des morts placés sous sa garde, alléguant que seulement ensemble ils pouvaient représenter l'humanité telle qu'il fallait l'entendre, en un tout absolu, indépendamment du temps et des lieux, et que les avoir gardés séparés avait été un attentat contre l'esprit. Voilà l'énorme différence entre la mort d'ici et ce conservateur judicieux des papiers de la vie et de la mort, tandis que la mort se fait une gloire de mépriser de façon olympienne les défunts, rappelons la phrase cruelle, si souvent répétée, qui dit que le passé est passé. Le conservateur, lui, en revanche, grâce à ce qu'en langage courant nous appelons conscience historique, estime que les vivants ne devraient jamais être séparés des morts, car, autrement, non seulement les morts resteraient-ils toujours morts, mais aussi les vivants à moitié vifs vivraient-ils leur vie, quand bien même celle-ci serait plus longue que celle de mathusalem, dont on continue à se demander s'il est mort à neuf cent soixante-neuf ans comme le prétend l'ancien testament masorétique ou à sept cent vingt ans comme l'affirme le pentateuque samaritain. Tous ne seront

sûrement pas d'accord avec la proposition archivistique audacieuse du conservateur de tous les noms ayant existé ou qui
existeront, mais nous en faisons état ici pour ce qu'elle pourra
valoir à l'avenir.

La mort examine la fiche et n'y trouve rien qu'elle n'ait
déjà vu auparavant, à savoir la biographie d'un musicien qui
devrait être mort depuis plus d'une semaine et qui continue
malgré tout à vivre tranquillement dans son modeste logement
d'artiste avec son chien noir qui grimpe sur les genoux des
dames, son piano et son violoncelle, ses soifs nocturnes et son
pyjama à rayures. Il doit bien y avoir un moyen de surmonter
cette difficulté, pensa la mort, le mieux, évidemment, serait
de pouvoir régler la question discrètement, mais si les hautes
instances servent à quelque chose, si elles ne sont pas là
uniquement pour récolter honneurs et louanges, elles ont à
présent une bonne occasion de prouver qu'elles ne sont pas
indifférentes à celle qui, en bas, dans la plaine, se charge de la
dure besogne, alors qu'elles, elles modifient le règlement,
elles décrètent des mesures exceptionnelles, elles autorisent,
le cas échéant, une action douteuse sur le plan de la légalité,
n'importe quoi sauf permettre que pareil scandale continue.
Ce qui est curieux dans cette affaire, c'est que la mort n'avait
pas la moindre idée de qui étaient concrètement ces fameuses
hautes instances, censées surmonter pour elle ladite difficulté.
Il est vrai que dans une de ses lettres publiées dans la presse,
la deuxième, sauf erreur, elle avait parlé d'une mort universelle qui ferait disparaître on ne savait quand toutes les manifestations de vie dans l'univers, jusqu'au dernier microbe,
mais cela, outre qu'il s'agissait d'une évidence philosophique
dès lors que rien n'est éternel, pas même la mort, découlait sur
le plan pratique d'une déduction logique circulant depuis
longtemps parmi les morts sectorielles, bien qu'elle ne fût pas
confirmée par un savoir corroboré par l'observation et l'expé-

rience. Les morts sectorielles faisaient déjà beaucoup pour perpétuer la croyance en une mort générale, laquelle n'avait pas encore donné jusqu'à présent le moindre indice de son pouvoir imaginaire. Nous, les sectorielles, pensa la mort, sommes celles qui travaillons vraiment sérieusement, débarrassant le terrain des excroissances, et à vrai dire je ne serais pas étonnée si le cosmos disparaissait que ce ne soit pas la conséquence d'une proclamation solennelle de la mort universelle, résonnant parmi les galaxies et les trous noirs, mais bien plutôt l'ultime effet de l'accumulation des petites morts particulières et personnelles relevant de notre responsabilité, une à une, comme si la poule du proverbe, au lieu de se remplir le gésier grain à grain, le vidait stupidement un grain après l'autre, ce qui me semble plutôt devoir se produire avec la vie, laquelle prépare elle-même sa propre fin, sans avoir besoin de nous, sans attendre que nous lui prêtions mainforte. La perplexité de la mort est plus que compréhensible. Elle était au monde depuis si longtemps qu'elle ne se souvenait plus de qui elle avait reçu les instructions indispensables à l'exécution régulière de l'opération dont elle avait été chargée. On lui a fourré le règlement entre les mains, on lui a désigné les mots tu tueras comme unique phare de ses futures activités et, probablement dans l'inconscience de l'ironie macabre, on lui a enjoint d'aller vivre sa vie. Et elle l'a fait, se disant qu'en cas de doute ou de quelque improbable erreur, elle serait toujours couverte, il y aurait toujours quelqu'un, un chef, un supérieur hiérarchique, un guide spirituel, à qui demander conseil et orientation.

Toutefois, il n'est pas croyable, et ici nous aborderons enfin l'examen froid et objectif requis par la situation de la mort et du violoncelliste, qu'un système d'information aussi parfait que celui qui a conservé ces archives à jour tout au long des millénaires, actualisant continuellement les données, faisant apparaître et disparaître les fiches selon que les gens naissent ou meurent, il n'est pas croyable, répétons-nous, qu'un pareil système soit primitif et unidirectionnel, que la source informative, où qu'elle se trouve, ne reçoive pas constamment à son tour les données résultant des activités quotidiennes de la mort en fonction. Et si elle les reçoit effectivement et ne réagit pas à la nouvelle extraordinaire que quelqu'un n'est pas mort à l'heure dite, alors de deux choses l'une, soit l'épisode, contre notre logique et nos attentes naturelles, ne l'intéresse pas et donc elle ne se sent pas obligée d'intervenir pour neutraliser la perturbation qui s'est produite en cours de route, soit il est sous-entendu que la mort, contrairement à ce qu'elle-même pensait, a carte blanche pour résoudre à sa guise tout problème susceptible de surgir au cours de son travail quotidien. Il fallut que le mot doute soit prononcé une fois et même deux pour qu'un certain passage du règlement qui, du fait qu'il était écrit en petits caractères et en bas de page, n'attirait pas l'attention des personnes studieuses et la retenait encore moins, pour qu'il éveille un écho dans la mémoire de la mort. Lâchant la fiche du violoncelliste, la mort prit le livre. Elle savait que ce qu'elle recherchait ne se trouvait ni dans les appendices ni dans les addenda, que cela devait figurer dans la partie initiale du règlement, la plus ancienne et donc la moins consultée, comme c'est généralement le cas des textes historiques fondamentaux, et voilà qu'elle tomba dessus. Le texte disait, En cas de doute, la mort en fonction devra, dans les plus brefs délais possibles, prendre les mesures que son expérience lui conseillera afin que soit respecté le desideratum qui devra toujours guider ses actions en toutes circonstances, c'est-à-dire mettre un terme aux vies humaines quand expirera le temps imparti à la naissance, même si à cette fin il lui faudra recourir à des méthodes moins orthodoxes en cas de résistance anormale au dessein fatal de la part du sujet ou si surviennent des facteurs anormaux, évidemment imprévisibles au moment de l'élaboration de ce règlement. C'était clair comme de l'eau de roche, la mort a les mains libres pour agir comme elle l'entend. Ce qui n'était pas une nouveauté, comme le montre l'analyse à laquelle nous procédons. Et sinon, voyons ce qui se passera. Quand la mort, à ses risques et périls, décida de suspendre son activité à partir du premier janvier de cette année, il ne vint pas à son esprit vide l'idée qu'une instance supérieure dans la hiérarchie pourrait lui demander des comptes pour cette incartade bizarre, de même qu'elle ne pensa pas à la très forte probabilité que son invention pittoresque des lettres de couleur violette fût vue d'un mauvais œil par l'instance en question ou par une autre, plus haute encore. Ce sont les dangers des pratiques automatiques, des routines séduisantes, des praxis fatiguées. Une personne, ou la mort, peu importe en l'occurrence, exécute scrupuleusement son travail, jour après jour, sans difficulté, sans éprouver de doutes, s'efforçant de respecter les règles établies par ses supérieurs et si, au bout d'un certain temps, personne ne vient fourrer le nez dans sa façon de s'acquitter de ses obligations, il est sûr et certain, et c'est ce qui arriva aussi à la mort, qu'elle finira par se comporter à son insu comme si elle était la maîtresse absolue de ses actes, et, qui plus est, du moment et de la façon dont elle les entreprend. C'est la seule explication raisonnable du fait que la mort ne jugea pas nécessaire de demander une autorisation à sa hiérarchie quand elle prit et mit à exécution les décisions transcendantales que nous connaissons et sans lesquelles ce récit, heureusement ou malheureusement, n'aurait pu exister. Cette idée ne lui traversa même pas la cervelle. Et maintenant, paradoxalement, juste au moment où elle ne se tient plus de joie d'avoir découvert que le pouvoir de disposer des vies humaines lui appartient en définitive exclusivement et qu'elle n'aura de comptes à rendre à personne, ni aujourd'hui ni jamais, c'est maintenant que les vapeurs de la gloire menacent de lui monter à la tête et qu'elle ne parvient pas à éviter cette réflexion craintive propre à la personne qui, sur le point d'être prise en faute, échappe miraculeusement au dernier instant, Je l'ai échappé belle.

Malgré tout, la mort qui se lève en ce moment de sa chaise est une impératrice. Elle ne devrait pas être dans cette pièce souterraine glaciale, comme si elle y était enterrée vive, mais au sommet de la plus haute montagne, en train de présider aux destinées du monde, regardant avec bienveillance le troupeau humain se déplacer et s'agiter en tous sens, sans se rendre compte que tous aboutissent au même destin, qu'un pas en arrière le rapprochera autant de la mort qu'un pas en avant, que tout est égal à tout parce que tout aura une fin unique, celle-là même à laquelle une partie de toi devra toujours penser parce qu'elle est la marque obscure de ton irrémédiable humanité. La mort tient à la main la fiche du musicien. Elle a conscience qu'elle devra en faire quelque chose, mais elle ne sait pas encore très bien quoi. Elle devra d'abord se calmer, se dire qu'elle n'est pas plus la mort qu'elle ne l'était auparavant, que la seule différence entre aujourd'hui et hier c'est que sa certitude de l'être est encore plus forte. Ensuite, le fait de pouvoir enfin régler ses comptes avec le violoncelliste n'est pas une raison pour oublier d'envoyer les lettres du jour. Cette pensée fit apparaître instantanément sur la table deux cent quatre-vingt-quatre fiches, la moitié était des hommes, l'autre des femmes, et avec elles deux cent quatre-vingt-quatre feuilles de papier et deux cent quatre-vingt-quatre enveloppes. La mort se rassit, mit de côté la fiche du violoncelliste et commença à écrire. Un sablier de quatre heures aurait laissé tomber le dernier grain de sable précisément au moment où elle finit de signer la deux cent quatre-vingt-quatrième lettre. Une heure plus tard, les enveloppes étaient fermées, prêtes à être expédiées. La mort alla chercher la lettre envoyée trois fois, revenue trois fois, et la plaça en haut de la pile d'enveloppes de couleur violette. Je vais te donner une dernière chance, dit-elle. Elle fit le geste habituel avec la main gauche et les lettres disparurent. Dix secondes ne s'étaient pas encore écoulées quand la lettre au musicien reparut silencieusement sur la table. Alors la mort dit, Tu l'as voulu ainsi, tu l'auras ainsi. Elle barra sur la fiche la date de naissance et inscrivit celle-ci pour une année plus tard, puis elle corrigea l'âge, là où il était écrit cinquante elle écrivit quarante-neuf. Tu ne peux pas faire ça, dit la faux de sa place, C'est déjà fait, Cela aura des conséquences, Une seule, Laquelle, La mort, enfin, de ce maudit violoncelliste qui se divertit à mes dépens, Mais le pauvre ignore qu'il devrait déjà être mort, Pour moi, c'est comme s'il le savait, Quoi qu'il en soit, tu n'as ni le pouvoir ni l'autorité de corriger une fiche, Tu te trompes, j'ai tous les pouvoirs et toute l'autorité, je suis la mort, et dis-toi bien que je ne l'ai jamais été autant qu'à partir d'aujourd'hui, Tu ne sais pas dans quoi tu vas te fourrer, avertit la faux, Dans le monde entier il n'y a qu'un seul endroit où la mort ne peut pas se fourrer, Lequel, Celui qu'on appelle cercueil, bière, tombe, tombeau, caveau, sarcophage, là je n'entre pas, seuls les vivants y pénètrent, après que je les ai tués, bien entendu, Tant de mots pour une seule chose triste, C'est l'habitude de ces gens-là, ils n'en finissent jamais de dire ce qu'ils veulent.

La mort a un plan. Le changement d'année de naissance du musicien ne fut que la phase initiale d'une opération à laquelle seront consacrés, nous pouvons d'ores et déjà l'annoncer, des moyens absolument exceptionnels, jamais encore utilisés dans toute l'histoire des relations humaines avec son ennemie jurée. Comme dans un jeu d'échecs, la mort avança la reine. Quelques coups supplémentaires ouvriront la voie à l'échec et mat et la partie prendra fin. Il sera alors loisible de demander pourquoi la mort ne revient pas au statu quo ante, quand les gens mouraient simplement parce qu'ils devaient mourir, sans avoir besoin d'attendre que le facteur leur apporte une lettre de couleur violette. La question est logique, mais la réponse ne l'est pas moins. Il s'agit tout d'abord d'un point d'honneur, d'un problème d'amour-propre, de fierté professionnelle, dans la mesure où, aux yeux du monde, retourner à l'innocence de cette époque équivaudrait pour la mort à reconnaître son échec. Puisque la méthode actuellement en vigueur est celle des lettres de couleur violette, c'est de cette façon-là que le violoncelliste devra mourir. Il suffira de nous imaginer à la place de la mort pour comprendre le bien-fondé de ses raisons. Comme nous avons eu l'occasion de le constater à quatre reprises, le problème majeur de l'acheminement de la lettre déjà fatiguée jusqu'à son destinataire subsiste et c'est là qu'entreront en action les moyens exceptionnels évoqués plus haut pour aboutir au but souhaité. Cependant, n'anticipons pas les événements, observons ce que fait la mort en ce moment. La mort, en cet instant précis, ne fait rien d'autre que ce qu'elle a toujours fait, c'est-à-dire, pour employer une expression courante, vaquer à ses affaires, encore qu'il serait plus correct de dire que la mort est simplement présente, plutôt qu'agissante. Elle est en même temps partout. Elle n'a pas besoin de courir après les gens pour les attraper, elle est toujours là où ils sont. Maintenant, grâce à la méthode de l'avis par correspondance, elle pourrait rester tranquillement dans la pièce souterraine, attendant que le courrier se charge du travail, mais sa nature est la plus forte, elle a besoin de se sentir libre, sans entraves. Comme disait déjà l'ancien dicton, poule des bois n'a point besoin de poulailler. Toutefois, au sens figuré, la mort erre dans les bois. Elle ne retombera pas dans la stupidité, ou dans la faiblesse impardonnable de réprimer ce qu'il y a de mieux en elle, sa capacité illimitée d'expansion, elle ne répétera donc pas l'action pénible consistant à se concentrer et à se maintenir sur le seuil ultime du visible sans passer de l'autre côté, comme elle l'avait fait la nuit précédente, dieu sait avec quels efforts, pendant les heures passées chez le musicien. Présente partout, comme nous l'avons dit mille et une fois, elle est aussi là-bas. Le chien dort dans le jardin, au soleil, en attendant le retour de son maître au foyer. Il ne sait pas où il est parti ni ce qu'il est allé faire, et l'idée de le suivre à la trace, si un jour il a tenté de la mettre à exécution, est une chose à laquelle il a renoncé depuis belle lurette car les bonnes et les mauvaises odeurs d'une capitale sont trop nombreuses et désorientent trop. Nous ne pensons jamais que les chiens connaissent de nous des choses dont nous n'avons aucune idée. La mort, elle, sait que le violoncelliste est assis sur la scène d'un théâtre, à droite du chef d'orchestre, à la

place qui correspond à l'instrument dont il joue, elle le voit
déplacer l'archet avec la main droite, elle voit la main gauche,
gauche mais non moins habile que l'autre, monter et descendre le long des cordes, comme elle avait fait elle-même
dans la semi-obscurité, sans avoir jamais appris la musique,
pas même le solfège le plus élémentaire, le fameux trois-
quatre. Le chef d'orchestre interrompit la répétition, frappa le
bord du pupitre avec sa baguette pour faire une remarque et
donner un ordre, il veut que dans ce passage les violoncelles,
oui, justement les violoncelles, se fassent entendre sans avoir
l'air de jouer, une sorte de charade acoustique que les musiciens semblent avoir déchiffrée sans difficulté, l'art est ainsi,
des choses qui semblent totalement impossibles à un profane
ne le sont finalement pas. La mort, inutile de le dire, emplit la
totalité du théâtre jusqu'en haut, jusqu'aux peintures allégo-
riques du plafond et jusqu'à l'immense lustre, à présent éteint,
mais le point de vue qu'elle préfère en ce moment est celui
d'une loge surplombant le niveau de la scène, de face, encore
que légèrement en biais par rapport aux groupes d'instruments
à cordes à la tonalité grave, aux guitares, qui sont les contral-
tos de la famille des violons, aux violoncelles, qui corres-
pondent aux tons bas, et aux contrebasses, avec leur grosse
voix. Elle est assise là, sur un siège étroit tendu de velours
cramoisi, et elle regarde fixement le premier violoncelliste, cet
homme qu'elle a vu dormir dans un pyjama à rayures, cet
homme qui a un chien, lequel dort à cette heure au soleil dans
le jardin, en attendant le retour de son maître. C'est là son
homme, un musicien, rien qu'un musicien, comme le sont
presque une centaine d'hommes et de femmes rangés en
demi-cercle devant leur chaman privé, le chef d'orchestre, et
qui, un jour, dans une semaine, un mois ou un an, recevront
chez eux une petite missive de couleur violette et laisseront
ainsi leur place vide jusqu'à ce qu'un autre violoniste, ou

flûtiste, ou trompettiste, vienne s'asseoir sur la même chaise, peut-être avec un autre chaman gesticulant avec son bout de bois pour conjurer les sons, la vie est un orchestre qui ne cesse de jouer, accordé, désaccordé, un paquebot titanic qui sombre et toujours refait surface, et la mort se dit alors qu'elle n'aura plus rien à faire si le bateau qui a sombré ne peut plus jamais remonter en chantant ce chant évocateur d'eau s'écoulant sur sa coque, comme cette même eau a aussi dû glisser avec une suavité chantante sur le corps ondulant de la déesse amphitrite à l'heure unique de sa naissance afin de faire d'elle celle qui entoure les mers, car telle est la signification du nom qu'elle reçut. La mort se demande où se trouve à présent amphitrite, fille de nérée et de doris, où se trouve ce qui n'a jamais existé réellement, mais qui a néanmoins habité pendant un bref laps de temps l'esprit des hommes afin d'y créer, également pour un bref laps de temps, une certaine façon particulière de donner un sens au monde, de tenter de comprendre cette même réalité. Et les hommes ne l'ont pas comprise, pensa la mort, et ils auront beau faire, ils ne peuvent pas la comprendre, car dans leur vie tout est provisoire, tout est précaire, tout passe irrémédiablement, les dieux, les hommes, ce qui fut est déjà fini, ce qui est ne sera plus, et même moi, la mort, je finirai quand je n'aurai plus qui tuer, soit de la façon classique, soit par correspondance. Nous savons que ce n'est pas la première fois qu'une pensée de ce genre passe par l'organe qui pense en elle, quel qu'il soit, mais c'est la première fois que l'avoir pensé provoqua en elle ce sentiment de soulagement profond, propre à quelqu'un qui, son travail terminé, s'étend lentement pour se reposer. Soudain l'orchestre se tait, on entend seulement le son d'un violoncelle, cela s'appelle un solo, un modeste solo qui ne durera même pas deux minutes, c'est comme si des forces invoquées par le chaman s'était élevée une voix, parlant peut-être au nom de tous ceux qui sont maintenant silencieux, le chef d'orchestre lui-même est immobile, il regarde ce musicien qui a laissé ouvert sur une chaise le cahier avec la suite numéro six, opus mille douze en ré majeur de johann sebastian bach, la suite qu'il ne jouera jamais dans ce théâtre, car il n'est qu'un violoncelliste d'orchestre, bien que le premier dans son groupe d'instruments, pas un de ces concertistes célèbres qui parcourent le monde entier, jouant, donnant des interviews, recevant des fleurs, des applaudissements, des hommages et des décorations, il a encore bien de la chance de jouer quelques mesures en solo de temps en temps, quand un compositeur généreux pense à ce côté de l'orchestre où peu de choses se passent d'ordinaire en dehors de la routine. Quand la répétition sera finie, il rangera le violoncelle dans son étui et rentrera chez lui en taxi, dans une de ces voitures qui ont un grand coffre à bagages, et il est possible que ce soir, après le dîner, il ouvre la suite de bach sur le pupitre, qu'il inspire profondément et qu'il effleure les cordes avec l'archet pour que la première note qui naîtra vienne le consoler de la banalité incorrigible du monde et que la seconde la lui fasse oublier, si elle le peut, le solo a déjà pris fin, le tutti de l'orchestre a couvert le dernier écho du violoncelle et, d'un geste impérieux de sa baguette, le chaman a repris son rôle d'invocateur et de guide des esprits sonores. La mort est fière que le violoncelliste ait aussi bien joué. Comme si elle était une parente, la mère, la sœur, une fiancée, pas une épouse, car cet homme ne s'est jamais marié.

Durant les trois jours qui suivirent, sauf pendant le temps nécessaire pour courir dans la pièce souterraine, écrire les lettres en toute hâte et les expédier, la mort fut, plus encore que l'ombre, l'air même que le musicien respirait. L'ombre a un défaut grave, on en perd la trace, on ne la remarque plus dès qu'il lui manque une source de lumière. La mort voyagea à côté de lui dans le taxi qui le ramena chez lui, elle entra quand il entra, contempla avec bienveillance les effusions débridées du chien à l'arrivée de son maître, puis elle s'installa, comme ferait une personne invitée à passer là un certain temps. Pour quelqu'un qui n'a pas besoin de se déplacer, c'est facile, peu lui importe d'être assise par terre ou perchée en haut d'une armoire. La répétition s'est terminée tard, il fera bientôt nuit. Le violoncelliste donna à manger à son chien, puis prépara son propre dîner avec deux boîtes de conserve qu'il ouvrit, il réchauffa ce qu'il fallait réchauffer, puis étendit une nappe sur la table dans la cuisine, disposa les couverts et une serviette, se versa un verre de vin, ensuite, sans hâte, comme s'il pensait à autre chose, il introduisit la première fourchetée de nourriture dans sa bouche. Le chien s'assit à côté de lui, les reliefs que son maître laissera dans l'assiette et qui pourront lui être donnés à la main seront son dessert. La mort regarde le violoncelliste. Par principe, elle ne distingue pas les gens beaux des laids, peut-être parce que ne connaissant d'elle-même que la tête de mort qu'elle est, elle a une tendance irrésistible à faire apparaître le crâne nu dessiné sous le visage qui nous sert de vitrine. Au fond, la vérité nous oblige à dire qu'aux yeux de la mort nous sommes tous également laids, même au temps où nous avons été des reines de beauté ou des rois de son équivalent masculin. Elle apprécie les doigts vigoureux du musicien, elle se dit que la pulpe des doigts de sa main gauche a dû progressivement durcir, devenir même légèrement calleuse, la vie a de ces injustices et bien d'autres encore, pensons au cas de cette main gauche qui a à sa charge le travail le plus lourd du violoncelle et qui reçoit du public beaucoup moins d'applaudissements que la main droite. Le dîner terminé, le musicien fit la vaisselle, replia soigneusement la nappe et la serviette dans leurs plis, les rangea dans un des tiroirs de l'armoire et, avant de quitter la cuisine, regarda autour de lui pour s'assurer que tout était à sa place. Le chien le suivit dans le salon de musique où la mort les attendait. Contrairement à ce que nous avions supposé au théâtre, le musicien ne joua pas la suite de bach. Un jour, dans une conversation avec des collègues de l'orchestre qui parlaient d'un ton léger de la possibilité de composer des portraits musicaux, d'authentiques portraits, pas des portraits types, comme ceux de samuel goldenberg et schmuyle, de moussorgski, il déclara que son portrait, au cas où il existerait effectivement en musique, ne se trouverait dans aucune composition pour violoncelle, mais dans une très brève étude de chopin, l'opus vingt-cinq, numéro neuf, en sol bémol majeur. Ils voulurent savoir pourquoi et il répondit qu'il ne parvenait pas à se voir lui-même dans quoi que ce soit qui eût été écrit sur une portée musicale et que cela lui semblait être la meilleure des raisons. Et que, en cinquante-huit secondes, chopin avait dit tout ce qu'il était possible de dire d'une personne qu'il ne pouvait pas avoir connue. Pendant quelques jours, par aimable plaisanterie, les plus spirituels l'appelèrent cinquante-huit secondes, mais le sobriquet était trop long pour pouvoir perdurer et aussi parce qu'il n'est pas possible de maintenir le moindre dialogue avec quelqu'un qui avait décidé de mettre cinquante-huit secondes à répondre à une question qu'on lui posait. Le violoncelliste finirait par être gagnant dans cette amicale dispute. Comme s'il avait perçu la présence d'un tiers chez lui à qui, pour une raison inexplicable, il devrait parler de lui-même, et pour ne pas avoir à faire le long discours dont même la vie la plus simple a besoin pour dire quelque chose d'elle-même qui vaille la peine, le violoncelliste s'assit au piano et, après une brève pause pour que le public s'installe, il attaqua la composition. Couché à côté du pupitre et déjà à moitié endormi, le chien ne parut pas prêter attention à la tempête sonore qui s'était déchaînée au-dessus de sa tête, soit parce qu'il l'avait déjà entendue plusieurs fois, soit parce qu'elle n'ajoutait rien à ce qu'il connaissait déjà de son maître. La mort, cependant, qui, à cause des devoirs de sa charge, avait entendu tant d'autres musiques, notamment la marche funèbre de ce même chopin ou l'adagio assai de la troisième symphonie de beethoven, eut pour la première fois de sa très longue vie la perception de ce qui pourrait devenir une parfaite concordance entre ce qui est dit et la façon dont c'est dit. Peu lui importait que ce fût le portrait musical du violoncelliste, probablement avait-il fabriqué dans sa tête les ressemblances alléguées, réelles et imaginaires, ce qui impressionnait la mort c'était le sentiment d'avoir entendu dans ces cinquante-huit secondes de musique une transposition rythmique et mélodique de toute vie humaine, ordinaire ou extraordinaire, à cause de sa tragique brièveté, de son intensité désespérée, et aussi à cause de cet accord final qui était comme un point de suspension laissé dans l'air, dans le vague, quelque part, comme si, irrémédiablement, quelque chose restait encore à dire. Le violoncelliste était tombé dans un des péchés humains le moins pardonné, celui de la présomption, en imaginant voir son propre personnage exclusif dans un portrait où finalement tous se retrouvaient, laquelle présomption, si nous l'observons bien, si nous ne demeurons pas à la surface des choses, pourrait être également considérée comme une manifestation de son opposé radical, à savoir l'humilité, dès lors que, puisque c'est le portrait de tous, moi aussi je devrais être représenté par lui. La mort hésite, elle n'arrive pas à se décider pour la présomption ou pour l'humilité et, pour départager, pour sortir du doute, elle s'amuse maintenant à observer le musicien dans l'espoir que l'expression de son visage lui révèle l'élément manquant, ou peut-être les mains, les mains sont deux livres ouverts, non pour des raisons, supposées ou authentiques, de chiromancie, comme les lignes de cœur et de vie, de vie, mesdames et messieurs, vous avez bien entendu, de vie, mais parce qu'elles parlent quand elles s'ouvrent ou se ferment, quand elles caressent ou frappent, quand elles essuient une larme ou dissimulent un sourire, quand elles se posent sur une épaule ou envoient un adieu, quand elles travaillent, quand elles sont immobiles, quand elles dorment, quand elles s'éveillent, et alors la mort, son observation terminée, conclut qu'il n'était pas vrai que l'antonyme de la présomption fût l'humilité, même si tous les dictionnaires du monde le jurent à l'unisson, pauvres dictionnaires, qui doivent se régir et nous régir avec les mots qui existent, alors qu'il y en a tellement qui manquent encore, par exemple, celui qui serait le contraire actif de la présomption, mais en aucun cas la tête baissée de l'humilité, ce mot que nous voyons clairement écrit sur le visage et les mains du violoncelliste, mais qui est incapable de nous dire comment il s'appelle.

Il se trouva que le jour suivant était un dimanche. Lorsque le temps fait bonne figure, comme c'est le cas aujourd'hui, le violoncelliste a l'habitude de passer la matinée dans un des parcs de la ville avec son chien et un ou deux livres. L'animal ne s'éloigne jamais beaucoup, même quand l'instinct le pousse à aller d'arbre en arbre pour y flairer l'urine de ses congénères. Il lève la patte de temps à autre, mais il s'en tient là pour ce qui est de la satisfaction de ses besoins excrétoires. Il satisfait l'autre besoin, pour ainsi dire complémentaire, avec discipline dans le jardin de la maison où il habite et le violoncelliste n'a donc pas à le suivre pour recueillir ses excréments dans un sachet en plastique à l'aide d'une petite pelle conçue expressément à cette fin. Il s'agirait là d'un exemple notoire d'une bonne éducation canine s'il ne se trouvait pas que par extraordinaire l'idée était venue de l'animal lui-même, lequel estime qu'un musicien, un violoncelliste, un artiste qui s'efforce de jouer dignement la suite numéro six opus mille douze en ré majeur de bach n'a pas à ramasser par terre les crottes encore fumantes de son chien ni de tout autre. Ce n'est pas séant, dit-il un jour à son maître au cours d'une conversation, bach, par exemple, ne l'a jamais fait. Le musicien répondit que depuis lors les temps avaient beaucoup changé, mais il fut obligé de reconnaître qu'effectivement bach ne l'avait jamais fait. Bien qu'il apprécie la littérature en général, il suffira de regarder les étagères dans sa bibliothèque pour s'en convaincre, le musicien éprouve une prédilection particulière pour les ouvrages d'astronomie et de sciences naturelles ou de la nature, et aujourd'hui il avait apporté un manuel d'entomologie. Faute de préparation préalable, il ne s'attend pas à en tirer de grands enseignements, mais il se distrait à lire que sur terre il y a presque un million d'insectes et que ceux-ci se divisent en deux ordres, celui des ptérygotes, pourvus d'ailes, et celui des aptérygotes, dépourvus d'ailes, et qui se classent en orthoptères, comme la sauterelle, en blattidés, comme le cancrelat, en mantidés, comme la mante religieuse, en névroptères, comme la chrysope, en odonates, comme la libellule, en éphéméroptères, comme l'éphémère, en tricoptères, comme les friganidés, en isoptères, comme le termite, en aphaniptères, comme la puce, en pédiculidés, comme le pou, en malophages, comme le petit pou des oiseaux, en hétéroptères, comme la punaise, en homoptères, comme le puceron, en diptères, comme la mouche, en hyménoptères, comme la guêpe, en lépidoptères, comme le sphinx tête-de-mort, en coléoptères, comme le scarabée, et finalement en tisanures, comme le poisson d'argent. Comme on peut le voir sur l'image dans le livre, le sphinx tête-de-mort est un papillon et son nom latin est acherontia atropos. C'est un papillon de nuit qui comporte sur la partie dorsale du thorax un dessin ressemblant à une tête de mort humaine, il atteint douze centimètres d'envergure et présente une coloration sombre, avec des ailes postérieures jaune et noir. Et il se nomme atropos, c'est-à-dire mort. Le musicien ne sait pas, et il ne pourrait jamais l'imaginer, que la mort, fascinée, regarde par-dessus son épaule la photographie en couleurs du papillon. Fascinée et déroutée aussi. Rappelons que la parque chargée de faire passer les insectes de vie à trépas, c'est-à-dire de les tuer, ce n'est pas elle, c'est une autre, et bien que dans la plupart des cas le modus operandi soit identique pour toutes les deux, les exceptions, elles aussi, sont nombreuses, il suffira de dire que les insectes ne meurent pas de causes aussi communes pour l'espèce humaine que, par exemple, la pneumonie, la tuberculose, le cancer, le syndrome de l'immunodéficience acquise, vulgairement connu sous le sigle de sida, les accidents de la route ou les affections cardio-vasculaires. Jusque-là n'importe qui comprendrait. Ce qui est plus difficilement perceptible, ce qui déroute le plus cette mort-ci qui continue à regarder par-dessus l'épaule du violoncelliste c'est qu'une tête de mort humaine, dessinée avec une précision extraordinaire, soit apparue, on ne sait à quelle époque de la création, sur le dos velu d'un papillon. Il est vrai que des petits papillons apparaissent parfois sur le corps humain, mais ils ne sont qu'un artifice élémentaire, de simples tatouages, ils n'éclosent pas à la naissance de la personne. Probablement, pense la mort, y eut-il un temps où tous les êtres humains étaient une unique créature, mais ensuite, peu à peu, avec la spécialisation, ils se sont trouvés divisés en cinq règnes, les monères, les protistes, les champignons, les plantes et les animaux, à l'intérieur desquels, nous voulons parler des règnes, d'infinies macrospécialisations et microspécialisations se sont succédé au fil des ères, et il n'est donc pas surprenant qu'au milieu d'une pareille confusion, d'un tel tohu-bohu biologique, certaines particularités des uns fussent apparues, répétées chez d'autres. Cela expliquerait, par exemple, non seulement l'inquiétante présence d'une tête de mort blanche sur le dos de ce papillon acherontia atropos qui, curieusement, outre la mort, contient également dans son nom celui d'un fleuve des enfers, mais aussi les non moins inquiétantes ressemblances entre la racine de la mandragore et le corps humain. On ne sait que penser devant ces merveilles de la nature, devant des phénomènes aussi sublimes. Toutefois, les pensées de la mort, qui continue à regarder fixement par-dessus l'épaule du violoncelliste, ont pris désormais un autre cours. Elle est triste maintenant en comparant ce que cela aurait donné que d'utiliser les papillons à tête de mort comme messagères de la mort au lieu de ces stupides lettres de couleur violette qui lui avaient semblé une idée géniale au début. Un papillon de cette espèce ne s'aviserait jamais de rebrousser chemin, sa tâche est inscrite sur son dos, c'est dans ce but qu'il a vu le jour. En outre, l'effet spectaculaire serait totalement différent, au lieu d'un vulgaire facteur venant nous remettre une lettre, nous verrions douze centimètres de papillon voleter au-dessus de notre tête, l'ange des ténèbres exhiber ses ailes jaune et noir, et soudain, après avoir rasé le sol et tracé le cercle dont nous ne sortirions plus, s'élever verticalement devant nous et placer sa tête de mort devant la nôtre. Il est plus qu'évident que nous ne lésinerions pas sur les applaudissements devant semblable acrobatie. On voit ainsi que la mort chargée des êtres humains a encore beaucoup à apprendre. Bien sûr, comme nous le savons pertinemment, les papillons ne relèvent pas de sa juridiction. Ni eux, ni toutes les autres espèces animales, pratiquement infinies. Il lui faudrait négocier un accord avec la collègue du département de zoologie, responsable de l'administration de ces produits naturels, lui demander à emprunter quelques papillons acherontia atropos, bien que, probablement, et ce serait dommage, eu égard à la différence abyssale entre l'extension de leurs territoires respectifs et de leurs populations respectives, la collègue en question lui eût répondu par un non hautain, discourtois et péremptoire, pour que nous sachions que l'absence de camaraderie n'est pas un vain mot, même dans la gestion de la mort. Il n'est que de penser à ce million d'espèces d'insectes dont fait état le manuel d'entomologie élémentaire, imaginez un peu, si pareil chiffre est possible, le nombre d'individus à l'intérieur de chaque espèce, et dites-moi s'il n'y a pas davantage de bestioles de ce genre sur terre que d'étoiles dans le ciel, ou dans l'espace sidéral, si nous préférons donner un nom poétique à la réalité convulsive de l'univers dans lequel nous ne sommes qu'un petit filament de merde sur le point de se dissoudre. La mort des humains, en cet instant un nombre dérisoire de sept milliards d'hommes et de femmes assez mal répartis sur les cinq continents, est une mort secondaire, subalterne, elle-même a parfaitement conscience de sa place sur l'échelle hiérarchique de thanatos, comme elle a eu l'honnêteté de le reconnaître dans la lettre envoyée au journal qui avait écrit son nom avec une majuscule initiale. Cependant, comme la porte des rêves est très facile à ouvrir, à la portée de n'importe qui, sans avoir à payer de taxe sur leur consommation, la mort, celle qui a cessé de regarder par-dessus l'épaule du violoncelliste, se plaît à imaginer ce que ce serait d'avoir sous ses ordres un bataillon de papillons alignés au-dessus de la table, elle-même faisant l'appel et leur donnant des instructions, toi, tu vas à tel endroit, tu cherches telle personne, tu lui présentes ta tête de mort et tu reviens ici. Alors le musicien penserait que son papillon acherontia atropos s'était envolé de la page ouverte, ce serait sa dernière pensée et la dernière image qu'il emporterait, collée à sa rétine, pas celle d'une grosse bonne femme vêtue de noir, comme celle aperçue par marcel proust, dit-on, pas celle d'un épouvantail entortillé dans un drap blanc, comme l'affirment les moribonds à la vue pénétrante. Un papillon, rien d'autre que le froissement suave des ailes de soie d'un grand papillon sombre avec une moucheture blanche ressemblant à une tête de mort.

Le violoncelliste regarda sa montre et vit que l'heure du déjeuner était plus que passée. Le chien, qui pensait la même chose depuis dix minutes, s'était assis à côté de son maître et, appuyant la tête sur ses genoux, attendait patiemment que celui-ci revienne sur terre. Il y avait non loin de là un petit restaurant qui fournissait des sandwichs et autres menus aliments de même nature. Chaque fois qu'il allait dans ce parc le matin, le violoncelliste s'y arrêtait et commandait la même chose. Deux sandwichs de thon à la mayonnaise et un verre de vin pour lui, un sandwich de viande bien saignante pour le chien. Si le temps était agréable comme aujourd'hui, ils s'asseyaient par terre à l'ombre d'un arbre et bavardaient tout en mangeant. Le chien gardait toujours le meilleur pour la fin, il commençait par expédier les tranches de pain et se livrait seulement après aux plaisirs de la chair, mastiquant lentement, consciencieusement, savourant les sucs. Distrait, le violoncelliste mangeait à la va-comme-je-te-pousse, il pensait à la suite en ré majeur de bach, au prélude, à un certain passage fort ardu, sur lequel il lui arrivait parfois de buter, d'hésiter, d'être pris de doutes, c'est ce qui peut arriver de pire dans la vie d'un musicien. Après avoir fini leur repas, ils s'étendirent côte à côte, le violoncelliste somnola un moment, le chien s'était déjà endormi une minute avant. Quand ils se réveillèrent et rentrèrent à la maison, la mort les accompagna. Pendant que le chien courait dans le jardin pour libérer ses tripes, le violoncelliste plaça la suite de bach sur le pupitre, l'ouvrit au passage délicat, un pianissimo absolument diabolique, et l'hésitation implacable se répéta. La mort eut pitié de lui, Le pauvre, le pire c'est qu'il n'aura pas le temps d'y arriver, d'ailleurs, il n'a jamais le temps, même ceux qui s'en sont rapprochés sont toujours restés loin. Alors, pour la première fois, la mort remarqua que dans toute la maison il n'y avait pas un seul portrait de femme, sauf celui d'une dame âgée qui avait tout l'air d'être la mère du musicien et qui était accompagnée d'un homme qui devait être le père.

J'ai un grand service à te demander, dit la mort. Comme toujours, la faux ne répondit pas, le seul signe qu'elle avait entendu fut un tressaillement à peine perceptible, une expression générale de malaise physique, car jamais semblables mots n'étaient sortis de cette bouche, demander un service, et qui plus est, un grand service. Il va falloir que je m'absente pendant une semaine, continua la mort, et j'ai besoin que pendant ce temps-là tu me remplaces pour l'expédition des lettres, bien entendu, je ne te demande pas de les écrire, juste de les envoyer, tu devras seulement émettre une espèce d'ordre mental et faire vibrer un tout petit peu ta lame à l'intérieur, à la façon d'un sentiment, d'une émotion, de quelque chose qui montre que tu es vivante, cela suffira pour que les lettres s'acheminent vers leur destination. La faux garda le silence, mais ce silence équivalait à une question. C'est parce que je ne peux pas passer mon temps à entrer et à sortir sans cesse pour m'occuper du courrier, dit la mort, je dois me concentrer totalement sur le règlement du problème posé par le violoncelliste, découvrir comment lui remettre la maudite lettre. La faux attendait. La mort poursuivit, Voici mon idée, je vais écrire d'un coup toutes les lettres pour la semaine pendant laquelle je serai absente, procédé que je m'autorise moi-même à employer en raison du caractère exceptionnel de la situation et, comme je te l'ai déjà dit, tu n'auras plus qu'à les expédier, tu n'auras même pas besoin de quitter l'endroit où tu te trouves appuyée au mur, tu remarqueras que je suis gentille, je te demande un service d'amie, alors que j'aurais très bien pu me contenter de te donner un ordre sans faire de façons, le fait que ces derniers temps j'ai cessé d'avoir recours à toi ne veut pas dire que tu n'es plus à mon service. Le silence résigné de la faux confirmait qu'il en était bien ainsi. Alors, nous sommes d'accord, conclut la mort, je passerai la journée d'aujourd'hui à rédiger les lettres, d'après mes calculs il y en aura deux mille cinq cents, tu imagines un peu, j'aurai sûrement le poignet en miettes à la fin, je te les laisserai sur la table, rangées en piles séparées, de gauche à droite, ne te trompe pas, de gauche à droite, fais bien attention, d'ici à là, tu me flanquerais dans un sacré merdier si les destinataires recevaient leur notification à une date erronée, que ce soit trop tôt ou trop tard. On prétend que qui ne dit mot consent. La faux se taisait, donc elle consentait. Enveloppée dans son drap, capuchon rejeté en arrière afin de bien voir, la mort s'assit et se mit au travail. Elle écrivit, écrivit, les heures passaient et elle écrivait toujours, les lettres s'empilaient, il fallait inscrire les adresses sur les enveloppes, plier les lettres, fermer les enveloppes, l'on se demandera comment elle s'y prenait puisqu'elle n'a pas de langue et donc pas de salive, cela, chers amis, cela c'était dans les temps heureux de l'artisanat, quand nous vivions encore dans les cavernes d'une modernité qui commençait tout juste à poindre, aujourd'hui les enveloppes sont auto-adhésives, on en retire un petit ruban de papier et ça colle tout seul, on peut dire que, parmi les multiples usages de la langue, celui-ci est passé à l'histoire. Si la mort n'eut pas le poignet en miettes à la fin d'un aussi grand effort c'est parce qu'il en est ainsi depuis toujours. Ce sont là des façons de parler qui collent au langage, on continue à les employer même quand elles ont perdu depuis longtemps leur sens originel et on ne se rend pas compte que, par exemple, dans le cas de cette mort qui se promène ici sous la forme d'un squelette, son poignet est en miettes de naissance, il suffit de regarder une radiographie. Le geste d'adieu fit disparaître dans l'hyperespace les deux cent quatre-vingts et quelques enveloppes du jour, car ce sera seulement à partir du lendemain que la faux commencera à exercer les fonctions d'expéditrice postale qui venaient de lui être confiées. Sans prononcer un seul mot, ni adieu, ni à bientôt, la mort se leva, se dirigea vers l'unique porte existant dans la pièce, cette petite porte étroite dont nous avons parlé si souvent sans savoir à quoi elle pouvait bien servir, elle l'ouvrit, la franchit et la referma derrière elle. L'émotion provoqua chez la faux une très forte vibration qui se propagea le long de sa lame jusqu'à l'extrémité de la pointe. Jamais, de mémoire de faux, cette porte n'avait été utilisée.

Les heures passèrent, toutes celles qui furent nécessaires pour que le soleil renaisse, là-bas dehors, pas ici, dans cette pièce blanche et froide, où les ampoules blafardes, toujours allumées, semblaient avoir été installées là pour dissiper les ombres à l'intention d'un mort qui aurait peur de l'obscurité. Il est encore trop tôt pour que la faux émette l'ordre mental qui fera disparaître de la pièce la deuxième pile de lettres, elle pourra donc dormir encore un peu. C'est ce que disent habituellement les insomniaques qui n'ont pas fermé l'œil de la nuit, mais qui, les pauvres, se croient capables de leurrer le sommeil en lui demandant simplement un peu plus, juste un tout petit peu plus, eux à qui pas un seul instant de repos n'avait été accordé. Seule pendant toutes ces heures, la faux chercha une explication à la sortie insolite de la mort par une porte aveugle qui semblait condamnée jusqu'à la fin des temps depuis qu'elle avait été installée là. Elle décida enfin de cesser de se creuser la cervelle, tôt ou tard elle finirait bien par apprendre ce qui se passait là derrière, car il est pratiquement impossible qu'il y ait des secrets entre la mort et la faux, tout comme il n'en existe pas non plus entre la faux et la main qui l'empoigne. Elle n'eut pas à attendre longtemps. Une demi-heure d'horloge devait s'être écoulée lorsque la porte s'ouvrit et une femme apparut sur le seuil. La faux avait entendu dire que la mort pouvait se transformer en être humain, de préférence en femme, à cause de cette question de genre, mais elle pensait qu'il s'agissait d'une blague, d'un mythe, d'une légende comme il y en a tant, par exemple, le phénix renaissant de ses propres cendres, l'homme sur la lune portant un fagot de bois sur le dos pour avoir travaillé un jour saint, le baron de münchhausen qui se sauva d'une mort par noyade dans un marécage ainsi que le cheval qu'il montait en se tirant lui-même par les cheveux, le dracula de la transylvanie qui ne meurt pas quand on le tue, sauf si on lui plante un épieu dans le cœur et encore il y a des gens pour en douter, la fameuse pierre dans l'ancienne irlande qui criait quand le vrai roi la touchait, la fontaine d'épire qui éteignait les torches enflammées et allumait les torches éteintes, les femmes qui laissaient couler le sang de leurs menstrues dans les champs cultivés pour augmenter la fertilité des semailles, les fourmis grandes comme des chiens, les chiens petits comme des fourmis, la résurrection le troisième jour parce qu'elle n'avait pu avoir lieu le deuxième. Tu es très belle, dit la faux, et c'était vrai, la mort était très belle et elle était jeune, elle devait avoir trente-six ou trente-sept ans, comme l'avaient calculé les anthropologues, Tu as enfin parlé, s'exclama la mort, Il m'a semblé que j'avais une bonne raison, ce n'est pas tous les jours qu'on voit la mort transformée en un exemplaire de l'espèce dont elle est l'ennemie, Tu veux dire que ce n'est pas parce que tu m'as trouvée belle, Si, ça également, mais j'aurais aussi parlé si tu m'étais apparue sous la forme d'une grosse dame vêtue de noir comme à monsieur marcel proust, Je ne suis pas grosse et je ne suis pas vêtue de noir, et tu n'as aucune idée de qui est marcel proust, Pour des raisons évidentes, les faux, tant moi-même qui fauche les gens que les autres, les vulgaires, qui fauchent l'herbe, n'ont jamais pu apprendre à lire, mais nous avons toutes été dotées d'une bonne mémoire, les autres de la sève, moi du sang, j'ai parfois entendu mentionner le nom de proust et j'ai réuni les faits, il fut un grand écrivain, un des plus grands qui aient jamais existé, et sa fiche doit figurer dans les anciennes archives, Oui, mais pas dans les miennes, je ne suis pas la mort qui l'a tué, Le monsieur marcel proust en question n'était-il donc pas de ce pays, Non, il était d'un autre pays, appelé france, répondit la mort, et on sentait une certaine tristesse dans ses paroles, Que la beauté que je vois en toi te console du chagrin de ne pas l'avoir tué toi-même, que dieu te bénisse, dit aimablement la faux, Je t'ai toujours tenue pour une amie, mais mon chagrin ne vient pas de ce que ce n'est pas moi qui l'ai tué, Alors, Je ne saurais expliquer. La faux regarda la mort avec étonnement et préféra changer de sujet, Où as-tu déniché les vêtements que tu portes, demanda-t-elle, Il y en a beaucoup parmi lesquels choisir derrière cette porte, c'est comme un entrepôt, un énorme magasin de théâtre, avec des centaines d'armoires, des centaines de mannequins, des milliers de cintres, Emmène-moi là-bas, demanda la faux, Ce serait inutile, tu ne t'y entends pas en modes ni en styles, À première vue, tu ne t'y entends guère plus, je n'ai pas l'impression que les différentes parties de tes vêtements aillent bien ensemble, Comme tu ne sors plus jamais de cette pièce, tu ne sais pas ce qui se porte aujourd'hui, Eh bien, je te dirais que ce chemisier ressemble beaucoup à d'autres dont je me souviens du temps où je menais une vie active, Les modes reviennent, elles vont et viennent, elles viennent et vont, si je te racontais tout ce que je vois dans les rues, Je te crois sans que tu aies besoin de me le décrire, Tu ne trouves pas que le chemisier va bien avec la couleur du pantalon et des chaussures, Si, je crois que oui, concéda la faux, Et avec ce bonnet que je porte sur la tête, Aussi, Et avec cette veste de cuir, Je ne le nie pas, Et avec ces boucles d'oreilles, Je me rends, Avoue que je suis irrésistible, Cela dépend du type d'homme que tu veux séduire, En tout cas, tu as l'impression que je suis belle, Je te l'ai dit la première, Alors, adieu, je serai de retour dimanche, au plus tard lundi, n'oublie pas d'expédier le courrier de chaque jour, j'imagine que ce ne sera pas un travail trop lourd pour quelqu'un qui passe tout son temps adossé au mur, As-tu la lettre, demanda la faux, qui avait décidé de ne pas réagir à l'ironie, Je l'ai, elle est là-dedans, répondit la mort en tapotant le sac du bout de doigts effilés et soignés sur lesquels n'importe qui aurait eu envie de déposer un baiser.

La mort apparut à la lumière du jour dans une rue étroite, coincée entre deux murs, déjà presque hors de la ville. On n'aperçoit aucune porte ni aucun portail par où elle aurait pu sortir, on ne décèle pas non plus le moindre indice permettant de reconstituer le chemin qui l'a menée ici depuis la froide pièce souterraine. Le soleil ne dérange pas les orbites vides, raison pour laquelle les crânes récupérés dans les fouilles archéologiques n'ont pas besoin de baisser les paupières lorsqu'une lumière soudaine les frappe au visage et que l'heureux anthropologue annonce que sa trouvaille osseuse a tout l'air d'être un neandertal, bien qu'un examen ultérieur démontre qu'il s'agissait en définitive d'un vulgaire homo sapiens. Toutefois, la mort, celle qui s'est faite femme, sort de son sac des lunettes sombres pour défendre des yeux devenus humains contre le risque d'une ophtalmie plus que probable chez quelqu'un qui doit encore s'habituer à la luminosité d'un matin d'été. La mort descend la rue jusqu'à l'endroit où les murs prennent fin et où s'élèvent les premiers immeubles. À partir de là elle se trouve en terrain connu, il n'y a pas une seule de ces maisons ni de celles qui se dressent devant ses yeux jusqu'aux confins de la ville et du pays où elle ne soit pas allée un jour ou l'autre, et même dans ce chantier en construction elle devra pénétrer dans deux semaines pour précipiter du haut d'un échafaudage un maçon distrait qui ne fera pas attention à l'endroit où il mettra les pieds. Dans des cas semblables nous avons l'habitude de dire c'est la vie, alors qu'il serait beaucoup plus exact de dire c'est la mort. Nous ne donnerions pas ce nom à la jeune femme aux lunettes noires qui monte dans un taxi, nous penserions probablement qu'elle est la vie personnifiée et nous nous lancerions à sa poursuite en haletant, ordonnant à un taxi, au cas où il s'en trouverait un, S'il vous plaît, suivez cette voiture. Dire c'est la vie prend maintenant tout son sens, et nous hausserions les épaules avec résignation. En tout cas, et que cela nous serve au moins de consolation, la lettre que la mort a rangée dans son sac porte le nom et l'adresse d'un autre destinataire, notre tour de tomber d'un échafaudage n'est pas encore venu. Contrairement à ce qu'on aurait pu raisonnablement prévoir, la mort ne donna pas au taxi l'adresse du violoncelliste, mais celle du théâtre où il joue. Il est vrai qu'elle avait décidé de miser sur quelque chose de sûr après les deux revers qu'elle avait essuyés, mais ce n'avait pas été par un simple hasard qu'elle avait commencé par se métamorphoser en femme, ni, comme un esprit grammairien pourrait également être enclin à le penser, à cause de ce problème de genre évoqué précédemment, tous deux, la femme et la mort, étant en l'occurrence du genre féminin. En dépit de son manque total d'expérience du monde extérieur, notamment en matière de sentiments, appétits et tentations, la faux avait mis en plein dans le mille quand, à un certain stade dans sa conversation avec la mort, elle s'était demandé quel type d'homme celle-ci voulait séduire. Séduire était le mot clé. La mort aurait pu aller directement chez le violoncelliste, sonner à sa porte, et, quand il lui ouvrirait, lui lancer le premier appât d'un sourire enjôleur après avoir retiré ses lunettes sombres, lui annoncer, par exemple, qu'elle vendait des encyclopédies, prétexte archiconnu, mais aux résultats presque toujours assurés, et alors, de deux choses l'une, soit il l'inviterait à entrer pour discuter tranquillement la question devant une tasse de thé, soit il lui dirait immédiatement que cela ne l'intéressait pas et ferait le geste de refermer la porte, tout en s'excusant courtoisement de son refus, Si encore c'était une encyclopédie musicale, se justifierait-il avec un sourire timide. Dans n'importe laquelle de ces situations il serait facile de remettre la lettre, disons même outrageusement facile, et cela déplaisait à la mort. L'homme ne la connaissait pas, mais elle connaissait l'homme, elle avait passé une nuit dans la même chambre que lui, elle l'avait entendu jouer, ce qui, qu'on le veuille ou non, crée des liens, établit une harmonie, ébauche un début de relation, et lui dire à brûle-pourpoint, Tu vas mourir, tu as huit jours pour vendre ton violoncelle et trouver un autre maître pour ton chien, serait d'une brutalité malséante chez la jolie femme qu'elle était devenue. Son plan est autre.

L'affiche apposée à l'entrée du théâtre annonçait au cher public que l'orchestre symphonique national donnerait deux concerts cette semaine, un jeudi, c'est-à-dire après-demain, l'autre samedi. Il est naturel que le lecteur curieux qui suit ce récit avec une attention scrupuleuse, pointilleuse, à la recherche de contradictions, de dérapages, d'omissions et d'illogismes, exige qu'on lui explique avec quel argent la mort paiera les billets pour les concerts, car cela fait moins de deux heures qu'elle est sortie d'une pièce souterraine où, que l'on sache, n'existent ni distributeurs automatiques ni guichets de banque. Et, puisque le lecteur est d'humeur à poser des questions, il voudra aussi qu'on lui dise si les chauffeurs de taxi ne font plus payer les femmes portant des lunettes noires, dotées d'un sourire amène et d'un corps bien tourné. Or, avant que cette supposition mal intentionnée ne commence à s'enraciner, hâtons-nous de préciser que la mort paya non seulement ce que marquait le compteur, mais de surcroît elle n'oublia pas d'y ajouter un pourboire. Quant à la provenance de l'argent, si cela continue à préoccuper le lecteur, il suffira de dire qu'il est sorti d'où sont sorties les lunettes noires, c'est-à-dire du sac en bandoulière, dès lors qu'en principe rien ne s'oppose à ce que d'où une chose est sortie une autre ne puisse en sortir aussi. En revanche, ce qui n'est nullement exclu, c'est que l'argent avec lequel la mort a payé le trajet en taxi et celui avec lequel elle paiera les deux billets pour les concerts, sans parler de l'hôtel où elle logera pendant les prochains jours, n'ait plus cours. Ce ne serait pas la première fois que nous nous coucherions avec une monnaie et que nous nous réveillerions avec une autre. On peut néanmoins supposer que l'argent est de bonne qualité et couvert par les lois en vigueur, sauf si, tels que nous connaissons les talents de la mort pour la mystification, le chauffeur de taxi, sans se rendre compte qu'il était en train d'être floué, avait reçu de la femme aux lunettes sombres un billet de banque qui n'était pas de ce monde ou du moins pas de cette époque-ci, avec le portrait d'un président de la république au lieu de la vénérable et familière figure de sa majesté le roi. La billetterie du théâtre vient d'ouvrir à l'instant même, la mort entre, sourit, salue et demande deux loges au premier balcon, une pour jeudi et l'autre pour samedi. Elle spécifie à la préposée aux billets qu'elle veut la même loge pour les deux concerts et que cette loge, condition essentielle, doit être située à droite par rapport à la scène et le plus près possible de celle-ci. La mort plongea la main au hasard dans son sac, en sortit un portefeuille et tendit les billets qui lui semblèrent nécessaires. La préposée lui rendit la monnaie, Voici, dit-elle, j'espère que nos concerts vous plairont, je pense que c'est la première fois, en tout cas je ne me souviens pas de vous avoir jamais vue et, croyez-moi, je suis très physionomiste, je n'oublie jamais un visage, il est vrai que les lunettes changent beaucoup la figure des gens, surtout si elles sont aussi sombres que les vôtres. La mort retira ses lunettes, Et maintenant, que vous semble, demanda-t-elle, Je suis sûre de ne vous avoir jamais vue avant, Peut-être parce que la personne devant vous, celle que je suis à présent, n'avait jamais eu besoin d'acheter des billets pour un concert, il y a quelques jours j'ai eu le plaisir d'assister à une répétition de l'orchestre et personne n'a remarqué ma présence, Je ne comprends pas, Faites-moi penser à vous l'expliquer un jour, Quand, Un jour, le jour, celui qui arrive toujours, Ne me faites pas peur. La mort lui adressa un beau sourire et demanda, Dites-moi franchement si vous me trouvez un aspect à faire peur à qui que ce soit, Quelle idée, voyons, ce n'est pas ce que j'ai voulu dire, Alors, faites comme moi, souriez et pensez à des choses agréables, La saison des concerts durera encore un mois, Voici une bonne nouvelle, nous nous reverrons peut-être la semaine prochaine, Je suis toujours ici, je fais quasiment partie des meubles du théâtre, Soyez tranquille, je vous retrouverai même si vous n'êtes pas ici, Alors je vous attends, Je ne manquerai pas de venir. La mort fit une pause, puis demanda, À propos, avez-vous reçu, vous ou un membre de votre famille, la lettre de couleur violette, Celle de la mort, Oui, celle de la mort, Dieu soit loué, non, mais les huit jours d'un de mes voisins expirent demain, le pauvre est dans un désespoir qui fait peine à voir, Que faire, c'est la vie, Vous avez raison, soupira la préposée aux billets, c'est la vie. Heureusement, d'autres personnes étaient arrivées pour acheter des billets, sinon qui sait où cette conversation aurait pu mener.

Il s'agit à présent de trouver un hôtel qui ne soit pas trop loin de la maison du musicien. La mort descendit à pied vers le centre, entra dans une agence de voyages et demanda à pouvoir consulter un plan de la ville, elle situa rapidement le théâtre, de là son index se dirigea sur le papier vers le quartier où habitait le violoncelliste. La zone était quelque peu éloignée, mais il y avait des hôtels dans les alentours. L'employé lui en suggéra un, il n'était pas luxueux, mais confortable. Il s'offrit spontanément à faire la réservation par téléphone et quand la mort lui demanda combien elle lui devait pour sa peine, il répondit en souriant, Inscrivez ça sur ma note. C'est habituel, les gens parlent sans réfléchir, lancent des mots au hasard, sans en peser les conséquences, Inscrivez ça sur ma note, a dit l'homme, imaginant sans doute avec l'incorrigible fatuité masculine une agréable rencontre dans un avenir prochain. Il avait couru le risque d'entendre la mort lui répondre avec un regard glacial, Prenez garde, vous ne savez pas à qui vous parlez, mais elle se borna à lui adresser un vague sourire, elle le remercia et sortit sans laisser de numéro de téléphone ni de carte de visite. Un parfum diffus flotta dans l'air, un mélange de rose et de chrysanthème. Oui, c'est bien ça, moitié rose, moitié chrysanthème, murmura l'employé en repliant lentement le plan de la ville. Dans la rue, la mort arrêta un taxi et donna l'adresse de l'hôtel au chauffeur. Elle n'était pas contente d'elle. Elle avait effrayé la dame aimable de la billetterie, elle s'était divertie à ses dépens et c'était là un abus impardonnable. Les gens ont déjà assez peur de la mort comme cela sans avoir besoin qu'elle se présente à eux en souriant et en disant, Salut, me voici, ce qui est la version courante, pour ainsi dire familière, du latin menaçant, memento, homo, quia pulvis es et in pulverem reverteris, et aussitôt après, comme si cela ne suffisait pas, elle avait été sur le point de lancer à une personne sympathique qui lui faisait une faveur cette question stupide avec laquelle les classes sociales dites supérieures ont l'audace impudente de provoquer celles qui sont en bas, Savez-vous à qui vous êtes en train de parler.

213

Non, la mort n'est pas contente de sa façon de procéder. Elle est sûre que dans son état de squelette elle ne se serait jamais avisée de se conduire de cette façon, C'est peut-être parce que j'ai pris figure humaine, ces choses-là sont contagieuses, pensa-t-elle. Par hasard, elle regarda par la vitre du taxi et reconnut la rue, c'est ici qu'habite le violoncelliste et voici le rez-de-chaussée où il vit. La mort crut sentir un bref spasme dans le plexus solaire, une agitation subite de ses nerfs, c'était peut-être le frémissement du chasseur apercevant sa proie, quand il la tient dans la mire de son fusil, c'était peut-être une espèce de crainte obscure, comme si la mort commençait à avoir peur d'elle-même. Le taxi s'arrêta, Voici l'hôtel, dit le chauffeur. La mort paya avec la monnaie rendue par la préposée aux billets, Gardez le reste, dit-elle, sans remarquer que le reste était supérieur au chiffre marqué par le compteur. Elle avait des excuses, c'était seulement aujourd'hui qu'elle avait commencé à utiliser les services de ce transport public.

En s'approchant du comptoir de la réception, elle se souvint que l'employé de l'agence de voyages ne lui avait pas demandé son nom, il s'était borné à prévenir l'hôtel, Je vous envoie une cliente à l'instant même, oui, une cliente, et la voici, cette cliente qui ne pouvait dire qu'elle s'appelait mort, en lettres minuscules, s'il vous plaît, elle ne savait quel nom donner, ah oui, le sac, le sac qu'elle porte à l'épaule, le sac d'où sont sortis les lunettes noires et l'argent, le sac d'où va sûrement sortir une pièce d'identité, Bonsoir, en quoi puis-je vous être utile, demanda le réceptionniste, Une agence de voyages vous a téléphoné il y a un quart d'heure pour faire une réservation pour moi, Oui, madame, c'est moi qui ai répondu, Eh bien, me voici, Ayez l'obligeance de remplir cette fiche. Maintenant, la mort sait quel nom elle porte, la pièce d'identité ouverte sur le comptoir le lui dit, grâce à ses lunettes sombres elle pourra recopier discrètement les données sans que le réceptionniste s'en aperçoive, le nom, la date de naissance, la nationalité, l'état civil, la profession, Voici, dit-elle, Combien de jours resterez-vous dans notre hôtel, J'ai l'intention de repartir lundi prochain, Permettez-moi de faire une photocopie de votre carte de crédit, Je ne l'ai pas sur moi, mais je peux payer d'avance, si vous voulez, Ah non, ce n'est pas nécessaire, dit le réceptionniste. Il prit la pièce d'identité pour vérifier les données sur la fiche et leva les yeux avec une expression d'étonnement. La photo sur le document était celle d'une femme plus âgée. La mort enleva ses lunettes et sourit. Perplexe, le réceptionniste regarda à nouveau le document, la photo et la femme devant lui étaient maintenant identiques comme deux gouttes d'eau. Avez-vous des bagages, demanda-t-il en passant une main sur son front moite. Non, je suis venue en ville faire des emplettes, répondit la mort.

Elle ne quitta pas sa chambre de toute la journée, elle déjeuna et dîna à l'hôtel. Elle regarda la télévision jusqu'à une heure tardive. Puis elle se mit au lit et éteignit la lumière. Elle ne dormit pas. La mort ne dort jamais.

La mort assiste au concert dans la robe neuve achetée la veille dans un magasin du centre. Elle est assise seule dans la loge au premier balcon et elle regarde le violoncelliste comme elle l'avait fait pendant la répétition. Avant que les lumières dans la salle ne soient baissées, pendant que l'orchestre attendait l'entrée du maestro, le musicien avait remarqué cette femme. Il n'avait pas été le seul à s'apercevoir de sa présence. D'abord, parce qu'elle occupait seule la loge et que, même si ce n'est pas rare, ce n'est pas non plus fréquent. Ensuite, parce qu'elle était belle, peut-être pas la plus belle de toute l'assistance féminine, mais belle d'une façon indéfinissable, particulière, impossible à expliquer avec des mots, comme un vers dont le sens ultime, si pareille chose existe dans un vers, échappe continuellement au traducteur. Et enfin, parce que sa silhouette solitaire, là-bas dans la loge, entourée de vide et d'absence de toutes parts, comme si elle habitait le néant, semblait exprimer la solitude la plus absolue. La mort, qui avait souri si souvent et si dangereusement depuis qu'elle était sortie de son souterrain glacial, ne sourit plus à présent. Dans l'assistance, les hommes l'avaient observée avec une curiosité douteuse, les femmes avec une inquiétude jalouse, mais elle, tel un aigle fondant sur un agneau, n'a d'yeux que pour le violoncelliste. Avec une différence, cependant. Dans le regard de cet autre aigle qui a toujours attrapé ses victimes, il y a comme un voile ténu de pitié, les aigles, nous le savons, sont obligés de tuer, leur nature le leur impose, mais en cet instant cet aigle-ci préférerait peut-être, devant cet agneau sans défense, éployer soudain ses ailes puissantes et s'envoler de nouveau vers les hauteurs, vers l'air glacé de l'espace, vers les troupeaux de nuages inaccessibles. L'orchestre se tut. Le violoncelliste commence à jouer son solo comme s'il n'était venu au monde que pour cela. Il ne sait pas que cette femme dans la loge a dans son sac à main étrenné récemment une lettre de couleur violette dont il est le destinataire, non, il ne le sait pas, il ne pourrait pas le savoir, et cependant il joue comme s'il faisait ses adieux au monde, comme s'il disait enfin tout ce qu'il avait tu, les rêves tronqués, les désirs frustrés, bref, la vie. Les autres musiciens le regardent avec ébahissement, le chef d'orchestre avec surprise et respect, le public soupire, frissonne, le voile de pitié qui masquait le regard perçant de l'aigle s'est changé en larmes. Déjà le solo est fini, l'orchestre, telle une puissante mer, s'est avancé lentement et a doucement submergé le chant du violoncelle, il l'a englouti et amplifié comme s'il voulait le conduire en un lieu où la musique se sublimerait dans le silence, dans l'ombre d'une vibration qui parcourrait la peau comme la dernière et inaudible résonance d'une timbale effleurée par un papillon. Le vol soyeux et sinistre de l'acherontia atropos traversa rapidement la mémoire de la mort, mais celle-ci l'écarta d'un geste de la main qui ressemblait autant à celui avec lequel elle faisait disparaître les lettres de la table dans la pièce souterraine qu'à un signe de gratitude destiné au musicien qui tournait à présent la tête dans sa direction, frayant un chemin à ses yeux dans la chaude obscurité de la salle. La mort répéta son geste et ce fut comme si ses doigts effilés étaient allés se poser sur la main qui déplaçait l'archet. Bien que son cœur eût fait de son

218

mieux pour que cela se produisît, le violoncelliste ne fit pas de fausse note. Les doigts de la mort ne le toucheraient plus, elle avait compris qu'il ne faut jamais distraire un artiste de son art. Quand le concert prit fin et que les applaudissements éclatèrent, quand les lumières se rallumèrent et que le chef d'orchestre ordonna aux musiciens de se lever, puis quand il fit signe au violoncelliste de s'avancer seul afin de recevoir la part d'applaudissements qui lui revenait de droit, la mort, debout dans la loge, souriant enfin, croisa les mains en silence sur sa poitrine et se borna à regarder, que les autres applaudissent, que les autres poussent des cris, que les autres réclament dix fois le chef d'orchestre, elle se contentait de regarder. Puis, lentement, comme à contrecœur, le public commença à s'en aller, cependant que l'orchestre se retirait. Quand le violoncelliste se tourna vers la loge, elle, la mort, n'était déjà plus là. La vie est ainsi, murmura-t-il.

Il se trompait, la vie n'était pas toujours ainsi, la femme de la loge l'attendra à l'entrée des artistes. Certains des musiciens qui sortent lui lancent des regards appuyés, mais ils comprennent, sans savoir comment, qu'elle est défendue par une barrière invisible, par un circuit à haute tension auquel ils se brûleraient comme de minuscules papillons de nuit. Le violoncelliste apparut alors. Il s'arrêta net en l'apercevant, il ébaucha même un mouvement de recul comme si, vue de près, la femme était autre chose qu'une femme, un être venu d'une autre sphère, d'un autre monde, de derrière la face cachée de la lune. Il baissa la tête, tenta de rejoindre les collègues qui sortaient, de fuir, mais l'étui du violoncelle, suspendu à une épaule, contraria sa tentative de dérobade. La femme était devant lui, elle lui disait, Ne me fuyez pas, je suis venue seulement pour vous remercier de l'émotion et du plaisir que j'ai eus à vous entendre, Je vous remercie infiniment, mais je suis un simple musicien d'orchestre, pas un concertiste célèbre, pas un de ceux que des admirateurs attendent une heure durant rien que pour les toucher ou leur demander un autographe, Si c'est cela qui vous tracasse, moi aussi je peux vous en demander un, je n'ai pas mon album d'autographes avec moi, mais j'ai ici une enveloppe qui pourra parfaitement faire l'affaire, Vous ne m'avez pas compris, ce que j'ai voulu dire c'est que, bien que je sois flatté de votre attention, je ne pense pas la mériter, Le public ne semble pas avoir été de cet avis, Il y a des jours, Exactement, il y a des jours et par hasard je suis venue justement un de ces jours-là, Je ne voudrais pas que vous voyiez en moi un ingrat mal élevé, mais demain, très probablement, les vestiges de votre émotion d'aujourd'hui se seront dissipés et vous-même disparaîtrez aussi vite que vous m'êtes apparue, Vous ne me connaissez pas, je suis très ferme dans mes desseins, Et quels sont-ils, ces desseins, J'en ai un seul, vous connaître, C'est chose faite, maintenant nous pouvons nous dire adieu, Avez-vous peur de moi, demanda la mort, Vous m'inquiétez, c'est tout, Et est-ce donc négligeable que de se sentir inquiet en ma présence, Être inquiet ne signifie pas forcément avoir peur, c'est peut-être simplement un avertissement lancé par la prudence, La prudence sert uniquement à différer ce qui est inévitable, tôt ou tard elle finit par capituler, J'espère que ce ne sera pas mon cas, Et moi je suis certaine que ce le sera. Le musicien transféra l'étui du violoncelle d'une épaule à l'autre, Vous êtes fatigué, demanda la femme, Un violoncelle ne pèse pas très lourd, le pire c'est l'étui, surtout celui-ci, qui est ancien, Il faut que je vous parle, Je ne vois pas comment, il est déjà presque minuit, tout le monde est parti, Il reste encore quelques personnes là-bas, Elles attendent le chef d'orchestre, Nous pourrions converser dans un bar, Vous me voyez entrer dans un endroit bondé avec un violoncelle sur le dos, dit le musicien en souriant, imaginez que tous mes collègues aillent là-dedans avec leur instrument, Nous pourrions donner un autre concert, Nous pourrions, demanda le musicien, intrigué par le pluriel, Oui, il y eut un temps où je jouais du violon, il y a même des portraits de moi jouant du violon, Vous avez vraiment décidé de me surprendre par toutes vos paroles, Il ne dépend que de vous de savoir jusqu'à quel point je pourrais encore vous surprendre, On ne saurait être plus explicite, Vous vous trompez, je ne parlais pas de ce à quoi vous pensez, Et à quoi ai-je pensé, si on peut savoir, À un lit, et moi dans ce lit, Excusez-moi, C'est ma faute, si j'étais un homme et si j'avais entendu les paroles que je vous ai adressées, j'aurais sûrement pensé la même chose, l'ambiguïté se paie toujours, Je vous remercie de votre franchise. La femme fit quelques pas et dit, Allons-y, Où cela, demanda le violoncelliste, Moi, à l'hôtel où je suis descendue, vous, chez vous, j'imagine, Ne vous reverrai-je plus, Votre inquiétude s'est-elle déjà dissipée, Je n'ai jamais été inquiet, Ne mentez pas, D'accord, je l'ai été, mais je ne le suis plus. Une sorte de sourire dépourvu de la moindre gaieté apparut sur le visage de la mort, Juste au moment où vous auriez davantage de raisons de l'être, dit-elle, Je cours le risque et je répète donc ma question, Laquelle, Ne vous reverrai-je plus, Je viendrai au concert samedi, je serai dans la même loge, Le programme est différent, je n'aurai pas de solo, Je le sais déjà, Visiblement, vous avez pensé à tout, Oui, Et quelle sera la fin de tout cela, Nous sommes encore au commencement. Un taxi libre approchait. La femme lui fit signe de s'arrêter et se tourna vers le violoncelliste, Je vous dépose chez vous, Non, c'est moi qui vous dépose à votre hôtel et ensuite je rentrerai chez moi, Cela sera comme je dis ou alors il vous faudra prendre un autre taxi, Vous avez l'habitude de n'en faire qu'à votre tête, Oui, toujours, Vous aurez parfois échoué, dieu est dieu et n'a presque jamais arrêté de connaître des échecs, En ce moment même je pourrais vous prouver que je n'échoue jamais, Je suis prêt pour la démonstration, Ne soyez pas stupide, dit soudain la mort, et il y avait dans sa voix une menace voilée, obscure, terrible. Le violoncelle fut rangé dans le coffre de la voiture. Les passagers ne dirent mot de tout le trajet. Quand le taxi s'arrêta à sa première destination, avant de descendre, le violoncelliste dit, Je ne sais pas ce qui se passe entre nous, je crois qu'il vaut mieux ne plus nous revoir, Personne ne pourra l'empêcher, Pas même vous, qui n'en faites toujours qu'à votre tête, demanda le musicien en s'efforçant d'être ironique, Pas même moi, répondit la femme, Ce qui signifie que vous échouerez, Ce qui signifie que je n'échouerai pas. Le chauffeur de taxi était sorti pour ouvrir la malle arrière et il attendait qu'on en retire l'étui. L'homme et la femme ne se dirent pas adieu, pas à samedi, ils ne se touchèrent pas, c'était comme une rupture sentimentale, une de ces séparations dramatiques, brutales, comme s'ils avaient juré sur du sang et de l'eau qu'ils ne se reverraient plus jamais. Le violoncelle suspendu à l'épaule, le musicien s'éloigna et entra dans l'immeuble. Il ne se retourna pas, pas même quand il s'arrêta un instant sur le seuil de la porte. La femme le regardait et serrait convulsivement son sac à main. Le taxi repartit.

Le violoncelliste entra chez lui en marmonnant avec irritation, Elle est folle, folle, folle, la seule fois que quelqu'un m'attend à la sortie pour me dire que j'ai bien joué, il faut que ce soit une demeurée et moi, comme un crétin, je lui demande si je ne la reverrai plus, je me fourre moi-même dans le pétrin, il y a des défauts qu'on peut encore respecter, qui sont pour le moins dignes d'attention, mais la fatuité est ridicule, l'infatuation est ridicule, et j'ai été ridicule. Il caressa distraitement le chien accouru à la porte pour l'accueillir et il entra dans le salon du piano. Il ouvrit l'étui capitonné et en retira avec soin le violoncelle qu'il lui faudrait encore accorder avant d'aller au lit car les voyages en taxi, fussent-ils courts, ne font aucun bien à la santé des instruments de musique. Il alla dans la cuisine donner un peu de nourriture au chien, il se prépara un sandwich qu'il accompagna d'un verre de vin. Le plus gros de son irritation était déjà passé, mais le sentiment qui la remplaçait peu à peu n'était guère plus apaisant. Il se souvenait de phrases prononcées par la femme, l'allusion aux ambiguïtés qui se paient toujours, et il découvrait que toutes ses paroles, bien que pertinentes dans leur contexte, semblaient contenir un autre sens, qui refusait de se laisser capter, qui vous aguichait à la façon d'une eau qui se retire au moment où on tente de la boire, de la branche qui s'écarte quand on est sur le point d'en cueillir le fruit. Je ne dirais pas qu'elle est folle, pensa-t-il, mais il est indéniable que c'est une femme étrange. Il finit de manger et retourna dans le salon de musique, ou du piano, qui sont les deux façons dont nous l'avons désigné jusqu'à présent, alors qu'il aurait été bien plus logique de l'appeler le salon du violoncelle, puisqu'il est l'instrument qui est le gagne-pain du musicien, mais il faut bien reconnaître que cet intitulé ne sonnerait pas bien, ce serait comme déclasser le salon, comme s'il perdait une partie de sa dignité, il suffit de suivre l'échelle descendante pour comprendre le raisonnement, salon de musique, salon du piano, salon du violoncelle, jusqu'ici ce serait encore acceptable, mais imaginez où on irait si l'on se mettait à dire salon de la clarinette, salon du fifre, salon de la grosse caisse, salon du triangle. Les mots eux aussi ont leur hiérarchie, leur protocole, leurs titres de noblesse, leurs stigmates de plébéien. Le chien entra avec son maître et alla se coucher auprès de lui après avoir fait trois tours sur lui-même, unique souvenir lui restant des temps où il avait été loup. Le musicien accordait son violoncelle avec le la du diapason, il rétablissait amoureusement les harmonies de son instrument après le traitement brutal infligé par la trépidation du taxi sur les pavés de la chaussée. Pendant quelques instants, il avait réussi à oublier la femme de la loge, pas exactement elle, mais la conversation inquiétante à l'entrée des artistes, encore que le violent échange de mots dans le taxi continuât à se faire entendre en arrière-fond, comme un battement de tambour étouffé. Il n'oubliait pas la femme de la loge, il ne voulait pas l'oublier. Il la voyait debout, mains croisées sur la poitrine, il sentait son regard intense le toucher, dur comme le diamant et comme lui resplendissant quand elle avait souri. Il se dit qu'il la reverrait samedi, oui, il la verrait, mais elle ne se mettrait plus debout et ne croiserait plus les mains sur la poitrine, elle ne le regarderait plus de loin, ce moment magique avait été englouti, démoli par le moment suivant, quand il s'était tourné pour la voir une dernière fois, ainsi le croyait-il, et que déjà elle n'était plus là.

Le diapason était redevenu silencieux, le violoncelle était accordé et le téléphone sonna. Le musicien sursauta, regarda sa montre, il était presque une heure et demie du matin. Qui diable cela peut-il bien être à cette heure, se demanda-t-il. Il souleva le combiné et attendit quelques secondes. C'était absurde, évidemment, car c'était à lui de parler, de décliner son nom, ou son numéro de téléphone, et probablement répondrait-on à l'autre bout du fil, C'est une erreur, excusez-moi, mais la voix qui parla préféra demander, Est-ce le chien qui a pris le téléphone, et dans l'affirmative, qu'il ait au moins la bonté d'aboyer. Le violoncelliste répondit, Oui, je suis le chien, mais cela fait longtemps que j'ai cessé d'aboyer, j'ai aussi perdu l'habitude de mordre, sauf moi-même quand la vie me dégoûte, Ne vous fâchez pas, je vous téléphone pour que vous me pardonniez, notre conversation a vite pris un tour dangereux et le résultat a été désastreux, comme nous l'avons vu, Quelqu'un l'a fait déraper, mais ça n'a pas été moi, C'est entièrement ma faute, en général, je suis une personne pondérée, sereine, Vous ne m'avez paru être ni l'une ni l'autre, Je suis peut-être affligée d'une double personnalité, Dans ce cas, nous devons être pareils, je suis moi-même chien et homme, L'ironie ne sonne pas bien dans votre bouche, je suppose que votre oreille musicale vous l'a déjà dit, Les dissonances font aussi partie de la musique, madame, Ne m'appelez pas madame, Je ne peux pas vous appeler autrement, j'ignore votre nom, ce que vous faites, qui vous êtes, Vous le saurez en temps voulu, la hâte est mauvaise conseillère, nous venons tout juste de faire connaissance, Vous êtes plus avancée que moi, vous connaissez mon numéro de téléphone, C'est à cela que servent les services de renseignements, la réception s'est chargée de la besogne, Dommage que cet appareil soit antique, Pourquoi, Parce que s'il était moderne, je saurais déjà d'où vous me parlez, Je vous parle de ma chambre d'hôtel, Voilà une grande nouvelle, Et quant à l'antiquité de votre téléphone, je dois vous dire que je m'y attendais, le contraire m'eût étonnée, Pourquoi, Parce que tout en vous semble ancien, c'est comme si au lieu de cinquante ans, vous en aviez cinq cents, Comment savez-vous que j'ai cinquante ans, Je m'y entends à calculer les âges, je ne me trompe jamais, Je trouve que vous vous vantez exagérément de ne jamais vous tromper, Vous avez raison, aujourd'hui, par exemple, je me suis trom-pée deux fois, je peux vous jurer que ça ne m'était jamais arrivé, Je ne comprends pas, J'ai une lettre à vous remettre et je ne vous l'ai pas remise, j'aurais pu le faire à la sortie du théâtre ou dans le taxi, De quelle lettre s'agit-il, Supposons que je l'ai écrite après avoir assisté à la répétition de votre concert, Vous étiez là, Oui, Je ne vous ai pas vue, C'est naturel, vous ne pouviez pas me voir, De toute façon, ce n'est pas mon concert, Toujours modeste, Et supposer n'est pas la même chose qu'avoir raison, Parfois, si, Mais dans ce cas-ci, non, Félicitations, en plus de modeste, vous êtes perspicace, De quelle lettre s'agit-il, Vous l'apprendrez aussi, le moment venu, Pourquoi ne me l'avez-vous pas donnée puisque vous en avez eu l'occasion, Deux occasions, J'insiste, pourquoi ne me l'avez-vous pas donnée, C'est ce que j'espère découvrir, je vous la donnerai peut-être samedi, après le concert, lundi j'aurai déjà quitté la ville, Vous ne vivez pas ici, Non, vivre, ce qui s'appelle vivre, je ne vis pas ici, Je ne comprends rien, parler avec vous c'est comme tomber dans un labyrinthe dépourvu de portes, Eh bien, voilà une excellente définition de la vie, Vous n'êtes pas la vie, Je suis beaucoup moins compliquée qu'elle, Quelqu'un a écrit que chacun de nous est momentanément la vie, Oui, momentanément, seulement momentanément, J'espère beaucoup que cette énigme s'éclaircira après-demain, la lettre, la raison pour laquelle vous ne me l'avez pas remise, tout, je suis las de ces mystères, Ce que vous nommez mystères est souvent une protection, certains portent des armures, d'autres des mystères, Protection ou non, je veux voir cette lettre, Si je n'échoue pas une troisième fois, vous la verrez, Et pourquoi échoueriez-vous une troisième fois, Si cela arrive, ce ne pourra être que pour la même raison que les fois précédentes, Ne jouez pas avec moi, on se croirait dans le jeu du chat et de la souris, Le fameux jeu où le chat finit toujours par attraper la souris, Sauf si la souris réussit à accrocher une clochette autour du cou du chat, La réponse est bonne, assurément, mais elle n'est qu'un rêve futile, une fantaisie pour dessins animés, même si le chat était endormi, le bruit le réveillerait et alors, adieu souris, Suis-je la souris à qui vous êtes en train de dire adieu, Si nous jouons à ce jeu, l'un de nous deux devra forcément l'être, je ne vous vois ni avec l'apparence ni avec l'astuce d'un chat, Et donc condamné à être une souris toute sa vie, Oui, tant qu'elle durera, une souris violoncelliste, Encore un dessin animé, Ne vous êtes-vous donc pas encore aperçu que les êtres humains sont des dessins animés, Vous aussi, je suppose, Vous avez pu constater de visu à quoi je ressemble, À une jolie femme, Merci, Je ne sais pas si vous vous êtes déjà rendu compte que cette conversation téléphonique ressemble extraordinairement à un marivaudage, Si la téléphoniste de l'hôtel s'amuse à écouter les conversations des clients, elle sera déjà parvenue à cette même conclusion, Quand bien même ce serait le cas, il ne faut pas en craindre des conséquences graves, la femme de la loge, dont je continue à ignorer le nom, partira lundi, Pour ne plus jamais revenir, En avez-vous la certitude, Les motifs qui m'ont amenée cette fois se répéteront difficilement, Difficile ne veut pas dire impossible, Je prendrai les dispositions nécessaires pour ne pas avoir à refaire ce voyage, Malgré tout, il aura valu la peine, Que veut dire malgré tout, Excusez-moi, je suis indélicat, j'ai voulu dire que, Ne vous fatiguez pas à être aimable avec moi, je n'en ai pas l'habitude, de plus il n'est pas difficile de deviner ce que vous alliez dire, toutefois, si vous considérez que vous me devez une explication plus complète, peut-être pourrons-nous poursuivre cette conversation samedi, Ne vous reverrai-je pas avant, Non. La conversation fut coupée. Le violoncelliste regarda le combiné qu'il avait encore dans une main rendue moite par la nervosité, Je dois avoir rêvé, murmura-t-il, ce n'est pas le genre d'aventure qui puisse m'arriver. Il laissa retomber le combiné sur son support et demanda, maintenant à haute voix, au piano, au violoncelle, aux étagères, Que me veut cette femme, qui est-elle, pourquoi est-elle apparue dans ma vie. Réveillé par le bruit, le chien avait levé la tête. Une réponse transparaissait dans ses yeux, mais le violoncelliste n'y prêta pas attention, il arpentait le salon d'un bout à l'autre, encore plus nerveux qu'avant, et voilà ce que disait la réponse, À propos, j'ai le vague souvenir d'avoir dormi sur les genoux d'une femme, c'était peut-être elle, Quels genoux, quelle femme, aurait demandé le violoncelliste, Tu dormais, Où, Ici, dans ton lit, Et elle, où était-elle,

Par ici, La blague est bonne, monsieur le chien, cela fait combien de temps qu'une femme n'est pas entrée dans cet appartement, dans cette chambre, allez, dis-le-moi, Comme tu le sais sûrement, la perception du temps par l'espèce canine n'est pas identique à celle des humains, mais je crois vraiment que le temps qui s'est écoulé depuis que tu as reçu dans ton lit la dernière dame a été très long, je dis cela sans ironie, bien entendu, Tu as donc rêvé, Très probablement, les chiens sont d'incorrigibles rêveurs, nous rêvons même les yeux ouverts, il nous suffit de voir quelque chose dans la pénombre pour imaginer aussitôt que ce sont des genoux de femme et sauter dessus, Des manies de chien, dirait le violoncelliste, Même si ce n'est pas vrai, répondrait le chien, nous ne nous plaignons pas. Dans sa chambre d'hôtel, la mort, dévêtue, se tient devant le miroir. Elle ne sait pas qui elle est.

Le jour suivant, la femme ne téléphona pas. Le violoncelliste ne sortit pas de chez lui, il attendait. La nuit passa, pas un mot. Le violoncelliste dormit encore plus mal que la nuit précédente. Dans la matinée du samedi, avant de se rendre à la répétition, il lui vint l'idée étrange d'aller demander dans les hôtels des alentours si une femme avec telle silhouette, telle nuance de cheveux, telle couleur d'yeux, telle forme de bouche, tel sourire, tels mouvements de main, était logée là, mais il renonça à ce dessein extravagant, tant il allait de soi qu'il serait renvoyé incontinent avec un air soupçonneux impossible à déguiser et un sec, Nous ne sommes pas autorisés à donner le renseignement que vous demandez. La répétition ne se passa ni bien ni mal pour lui, il se contenta de jouer ce qui était écrit sur la partition, sans autre souci que de ne pas faire trop de fausses notes. Quand il eut fini, il se hâta de rentrer chez lui. Il se disait en chemin que si elle avait téléphoné pendant son absence elle n'aurait même pas trouvé un misérable répondeur sur lequel laisser un message, Je ne suis pas un homme d'il y a cinq cents ans, je suis un troglodyte de l'âge de pierre, tout le monde sauf moi possède un répondeur, marmonna-t-il. S'il avait besoin d'une preuve qu'elle n'avait pas téléphoné, il l'obtint au cours des heures suivantes. En principe, une personne qui téléphone et n'obtient pas de réponse téléphonera de nouveau, mais le maudit appareil resta silencieux tout l'après-midi, indifférent aux regards de plus en plus désespérés que le violoncelliste jetait sur lui. Patience, tout semble indiquer qu'elle ne téléphonera pas, peut-être cela ne lui avait-il pas été possible pour une raison ou une autre, mais elle ira au concert, tous deux reviendront dans le même taxi comme après le premier concert, et, quand ils arriveront ici, il l'invitera à entrer et ils pourront alors bavarder tranquillement, elle lui donnera enfin la lettre tant attendue, puis ils s'amuseront tous les deux des éloges exagérés qu'entraînée par son enthousiasme artistique elle avait écrits après la répétition où il ne l'avait pas vue, et il lui dira qu'il n'est pas rostropovitch et elle dira on ne sait pas ce que l'avenir vous réserve, et quand ils n'auront plus rien à se dire ou quand les mots commenceront à aller d'un côté et les pensées d'un autre, alors nous verrons s'il arrive quelque chose dont il vaille la peine de nous souvenir lorsque nous serons vieux. Ce fut dans cet état d'esprit que le violoncelliste sortit de chez lui, ce fut cet état d'esprit qui le mena au théâtre, ce fut avec cet état d'esprit qu'il entra en scène et s'en fut s'asseoir à sa place. La loge était vide. Elle est en retard, se dit-il, elle doit être sur le point d'arriver, des gens entrent encore dans la salle. C'était la vérité, s'excusant de déranger ceux qui étaient déjà assis et de les obliger à se lever, les retardataires occupaient leur siège, mais la femme n'apparut pas. Peut-être à l'entracte. Rien. La loge demeura vide jusqu'à la fin du concert. Toutefois, il restait encore l'espoir raisonnable que, ayant été dans l'impossibilité d'assister au spectacle pour des raisons qu'elle expliquerait, elle soit en train de l'attendre dehors, à l'entrée des artistes. Elle n'était pas là. Et comme les espoirs ont un destin à accomplir, qui est de naître les uns des autres, cela explique que malgré tant de déceptions ils n'aient pas encore disparu du monde, il se pourrait qu'elle l'attende à l'entrée de l'immeuble, un sourire aux lèvres et la lettre à la main, Voici la lettre, chose promise, chose due. Elle n'était pas là non plus. Le violoncelliste entra chez lui comme un automate, du genre ancien, de la première génération, de ceux qui devaient demander à une jambe l'autorisation de mouvoir l'autre. Il repoussa le chien venu le saluer, lâcha le violoncelle n'importe où et alla s'étendre sur le lit. Apprends, pensait-il, apprends donc une bonne fois pour toutes, espèce d'imbécile, tu t'es conduit comme un crétin achevé, tu as attribué les significations que tu souhaitais à des mots qui finalement avaient un autre sens, et même celui-ci tu ne le connais pas et tu ne le connaîtras jamais, tu as cru à des sourires qui n'étaient que de simples contractions musculaires délibérées, tu as oublié que tu as cinq cents ans sur le dos bien qu'on te l'ait rappelé charitablement, et maintenant te voilà affalé comme une loque sur le lit dans lequel tu espérais la recevoir, pendant qu'elle se gausse de la piètre figure que tu faisais et de ton incroyable sottise. Ayant déjà oublié l'offense d'avoir été repoussé, le chien vint le consoler. Il appuya les pattes de devant sur le matelas, traîna son corps jusqu'à le placer à la hauteur de la main gauche de son maître qui pendait comme un objet inutile, sans fonction, et il y posa doucement la tête. Il aurait pu lécher la main et la re-lécher, comme font les chiens ordinaires, mais la nature, pour une fois bienveillante, lui avait réservé une sensibilité si particulière qu'elle lui permettait même d'inventer des gestes différents pour exprimer des émotions toujours identiques et toujours uniques. Le violoncelliste se tourna vers le chien, il bougea et plia son corps pour que sa propre tête puisse se trouver à un empan de la tête de l'animal et ils restèrent ainsi à se regarder, disant sans avoir besoin de mots, Tout bien réfléchi, je n'ai aucune idée de qui tu es, mais ça n'a pas d'importance, ce qui compte c'est que nous nous aimions bien. L'amertume du violoncelliste diminua peu à peu, à la vérité le monde est plus que saturé d'épisodes comme celui-ci, il a attendu et elle n'est pas venue, elle a attendu et il n'est pas venu, au fond et entre nous, sceptiques et incrédules que nous sommes, mieux vaut cela que de se casser une jambe. C'était facile à dire et il aurait mieux valu le taire, car les mots ont souvent des effets contraires à ceux qu'ils s'étaient proposé d'avoir, si bien qu'il n'est pas rare que ces mêmes hommes ou mêmes femmes jurent et tempêtent, Je la hais, Je le hais, pour fondre aussitôt en larmes après avoir prononcé ce verbe. Le violoncelliste s'assit sur le lit, étreignit le chien qui avait posé les pattes sur ses genoux en un ultime geste de solidarité, et il dit, comme s'il se morigénait lui-même, Allons, voyons, un peu de dignité, s'il te plaît, assez de jérémiades comme cela. Puis, au chien, Tu as faim, bien sûr. Frétillant de la queue le chien répondit que oui, monsieur, il avait faim, cela faisait pas mal d'heures qu'il n'avait rien absorbé, et tous deux se dirigèrent vers la cuisine. Le violoncelliste ne mangea pas, il n'en avait pas envie. De plus, le nœud dans sa gorge l'aurait empêché d'avaler. Une demi-heure plus tard, il était déjà au lit, il avait pris un cachet pour s'endormir plus facilement, mais cela ne servit pas à grand-chose. Il se réveillait et se rendormait, se réveillait et se rendormait, toujours avec l'idée qu'il devait courir après le sommeil pour l'attraper et empêcher l'insomnie de venir occuper l'autre côté du lit. Il ne rêva pas de la femme de la loge, mais à un certain moment où il était réveillé il l'aperçut debout au milieu du salon de musique, les mains croisées sur la poitrine.

Le lendemain était un dimanche et le dimanche était le jour où il emmenait le chien se promener. L'amour se paie avec de l'amour, semblait dire l'animal, qui tenait sa laisse dans la gueule, déjà prêt pour la promenade. Lorsque, déjà dans le parc, le violoncelliste se dirigeait vers le banc sur lequel il avait l'habitude de s'asseoir, il constata de loin qu'une femme s'y était déjà installée. Les bancs dans les jardins sont libres, publics et généralement gratuits, on ne peut pas dire à quelqu'un arrivé avant soi, C'est mon banc, ayez la bonté d'aller en chercher un autre. Un homme aussi bien élevé que le violoncelliste ne se comporterait jamais ainsi, et encore moins s'il lui semblait reconnaître dans la personne la fameuse femme de la loge au premier balcon, la femme qui avait manqué le rendez-vous, la femme qu'il avait vue dans le salon de musique, les mains croisées sur la poitrine. Comme on le sait, à cinquante ans on ne peut plus trop se fier à ses yeux, on commence à les cligner, à les fermer à demi comme si on voulait imiter les héros du far ouest ou les navigateurs d'antan, sur un cheval ou à la proue d'une caravelle, la main en guise de visière pour scruter l'horizon lointain. La femme est vêtue différemment, elle porte un pantalon et une veste en cuir, c'est sûrement quelqu'un d'autre, dit le violoncelliste à son cœur, mais celui-ci, qui a une bien meilleure vue, t'enjoint d'ouvrir les yeux, c'est bien elle, et maintenant fais attention à la façon dont tu vas te conduire. La femme leva les yeux et le violoncelliste cessa d'avoir des doutes, c'était bien elle. Bonjour, dit-il en s'arrêtant à côté du banc, aujourd'hui j'aurais pu m'attendre à tout, sauf à vous rencontrer ici, Bonjour, je suis venue vous dire adieu et vous demander pardon de ne pas être allée hier au concert. Le violoncelliste s'assit, retira la laisse au chien, lui dit, Va, et répondit sans regarder la femme, Vous n'avez pas à vous excuser, ce sont des choses qui arrivent souvent, on achète un billet et ensuite, pour une raison ou une autre, on ne peut pas venir, c'est naturel, Et à propos de nos adieux, vous n'avez pas d'opinion, demanda la femme, C'est extrêmement délicat de votre part de considérer que vous deviez dire adieu à un inconnu, bien que je n'arrive pas à concevoir comment vous avez pu apprendre que j'allais dans ce parc tous les dimanches, Il y a peu de choses que je ne sache de vous, S'il vous plaît, ne revenons pas aux conversations absurdes que nous avons eues jeudi à la porte du théâtre et ensuite au téléphone, vous ne savez rien de moi, nous ne nous étions jamais vus avant, Souvenez-vous que j'ai assisté à la répétition, Et je ne comprends pas comment vous avez fait, le chef d'orchestre est très sévère sur la présence d'étrangers, et ne me dites pas que vous le connaissez lui aussi, Pas autant que je vous connais vous, mais vous êtes une exception, Il aurait mieux valu que je ne le sois pas, Pourquoi, Vous voulez que je vous le dise, vous le voulez vraiment, demanda le violoncelliste avec une véhémence qui frôlait le désespoir, Je le veux, Parce que je me suis épris d'une femme dont je ne sais rien, qui s'amuse à mes dépens, qui s'en ira demain je ne sais où et que je ne reverrai jamais, C'est aujourd'hui que je partirai, pas demain, Il ne manquait plus que cela, Et il n'est pas vrai que je me sois amusée à vos dépens, Eh bien, si vous ne l'avez pas fait, c'est très bien imité, Quant à l'idée que vous vous êtes épris de moi, n'attendez pas que je vous réponde, certains mots sont interdits à ma bouche, Encore un mystère de plus, Et il ne sera pas le dernier, Avec votre départ, ils seront tous résolus, D'autres pourront commencer, S'il vous plaît, laissez-moi, cessez de me tourmenter, La lettre, Je ne veux rien savoir de cette lettre, Même si je le voulais, je ne pourrais pas vous la donner, je l'ai laissée à l'hôtel, dit la femme en souriant, Alors, déchirez-la, Je réfléchirai à ce que je dois en faire, Inutile de réfléchir, déchirez-la et finissons-en. La femme se leva. Vous partez déjà, demanda le violoncelliste. Il ne s'était pas levé, il avait baissé la tête, il avait encore quelque chose à dire. Je ne vous ai jamais touchée, C'est moi qui n'ai pas voulu que vous me touchiez, Comment avez-vous fait, Ce n'est pas difficile pour moi, Même pas maintenant, Même pas maintenant, Juste une poignée de main, Mes mains sont froides. Le violoncelliste releva la tête. La femme avait disparu.

Homme et chien quittèrent le parc tôt, les sandwichs furent achetés pour être mangés à la maison, il n'y eut pas de sieste au soleil. L'après-midi fut longue et triste, le musicien prit un livre, lut une demi-page et le mit de côté. Il s'assit au piano pour jouer un peu, mais ses mains ne lui obéirent pas, elles étaient engourdies, froides, comme mortes. Et quand il se tourna vers son violoncelle bien-aimé, ce fut l'instrument lui-même qui se refusa à lui. Il somnola sur une chaise, avec le désir de sombrer dans un sommeil interminable et de ne plus jamais se réveiller. Couché par terre, attendant un signe qui ne venait pas, le chien le regardait. La cause de l'abattement de son maître était peut-être la femme apparue dans le parc, pensait-il, finalement le proverbe qui dit loin des yeux, loin du cœur n'était pas véridique. Les proverbes n'arrêtent pas de nous induire en erreur, conclut le chien. Il était onze heures du soir lorsque la sonnette de la porte retentit. Un voisin qui a des problèmes, pensa le violoncelliste et il se leva pour aller ouvrir. Bonsoir, dit la femme de la loge en franchissant le seuil, Bonsoir, répondit le musicien en s'efforçant de maîtriser le spasme qui lui contractait la glotte, Vous ne m'invitez pas à entrer, Bien sûr que si, entrez, je vous en prie. Il s'effaça pour la laisser passer, referma la porte doucement, lentement, afin que son cœur n'explose pas. Les jambes flageolantes, il la conduisit dans le salon de musique, lui indiqua une chaise d'une main tremblante. Je pensais que vous étiez déjà partie, dit-il, Comme vous voyez, j'ai décidé de rester, répondit la femme, Mais vous partirez demain, Je me suis engagée à le faire, Je suppose que vous êtes venue m'apporter la lettre, que vous ne l'avez pas déchirée, Oui, je l'ai ici dans ce sac, Alors, donnez-la-moi, Nous avons le temps, ne vous ai-je pas déjà dit

que la hâte est mauvaise conseillère, Comme vous voudrez, je
suis à votre disposition, Le dites-vous sérieusement, C'est mon
plus grand défaut, je dis tout sérieusement, même quand je fais
rire, surtout quand je fais rire, Dans ce cas, je m'aventurerai
à vous demander une faveur, Laquelle, Dédommagez-moi
de ne pas être allée au concert hier, Je ne vois pas comment,
Vous avez ici un piano, N'y songez pas, je suis un pianiste
médiocre, Ou le violoncelle, C'est différent, oui, je pourrais
vous jouer un ou deux morceaux, si vous insistez, Puis-je
choisir, demanda la femme, Oui, mais seulement si c'est à ma
portée, dans mes possibilités. La femme prit le cahier de la
suite numéro six de bach et dit, Ceci, C'est très long, cela
prendra plus d'une demi-heure et il se fait tard, Je répète que
nous avons le temps, Il y a un passage dans le prélude qui me
cause des difficultés, Cela n'a pas d'importance, sautez-le
quand vous parviendrez là, dit la femme, ou ce ne sera même
pas nécessaire, vous verrez que vous jouerez encore mieux que
rostropovitch. Le violoncelliste sourit, Vous pouvez en être
sûre. Il ouvrit le cahier sur le pupitre, respira profondément,
plaça la main gauche sur le manche du violoncelle, la main
droite conduisit l'archet presque jusqu'à effleurer les cordes, et
il commença. Il ne savait que trop bien qu'il n'était pas rostropovitch, qu'il n'était qu'un soliste d'orchestre quand le hasard
d'un programme l'exigeait, mais ici, devant cette femme, avec
son chien couché à ses pieds, à cette heure de la nuit, entouré
de livres, de cahiers de musique, de partitions, il était johann
sebastian bach lui-même, composant à köthen ce qui s'appellerait plus tard l'opus mille douze, des œuvres presque aussi
nombreuses que celles de la création. Le passage difficile fut
franchi sans qu'il se fût aperçu de la prouesse qu'il venait
d'accomplir, ses mains heureuses faisaient murmurer, parler,
chanter, rugir le violoncelle, voilà ce qui avait manqué à rostropovitch, ce salon de musique, cette heure, cette femme.

Quand il eut terminé, les mains de la femme n'étaient plus froides, les siennes étaient brûlantes, leurs mains se rencontrèrent donc sans surprise. Il était déjà une heure du matin bien sonnée quand le violoncelliste demanda, Voulez-vous que j'appelle un taxi pour vous conduire à votre hôtel, et la femme répondit, Non, je resterai avec toi, et elle lui offrit sa bouche. Ils entrèrent dans la chambre, ils se dévêtirent et ce qui était écrit qui devait arriver arriva enfin, et encore, et une autre fois encore. Il s'endormit, elle pas. Alors elle, la mort, se leva, ouvrit le sac qu'elle avait laissé au salon et en sortit la lettre de couleur violette. Elle regarda autour d'elle comme si elle cherchait un endroit où la laisser, sur le piano, glissée entre les cordes du violoncelle ou alors dans la chambre elle-même, sous l'oreiller sur lequel la tête de l'homme reposait. Elle ne le fit pas. Elle alla dans la cuisine, alluma une allumette, une humble allumette, elle qui aurait pu désintégrer le papier du regard, le réduire en une impalpable poussière, elle qui aurait pu l'enflammer rien qu'au contact de ses doigts, et c'était une simple allumette, une allumette ordinaire, de tous les jours, qui mettait le feu à la lettre de la mort, celle que seule la mort pouvait détruire. Il ne resta pas de cendres. La mort retourna dans le lit, enlaça l'homme et, sans comprendre ce qui lui arrivait, elle qui ne dormait jamais sentit que le sommeil abaissait doucement ses paupières. Le lendemain, personne ne mourut.

Du même auteur

Le Dieu manchot
Albin Michel/A.-M. Métailié, 1987
Seuil, « Points », n° P174

L'Année de la mort de Ricardo Reis
Seuil, 1988
et « Points », n° P574

Le Radeau de pierre
Seuil, 1990

Quasi Objets
Salvy, 1990
Seuil, « Points », n° P802

Histoire du siège de Lisbonne
Seuil, 1992
et « Points », n° P619

L'Évangile selon Jésus-Christ
Seuil, 1993
et « Points », n° P723

L'Aveuglement
Seuil, 1997
et « Points », n° P722

Tous les noms
Seuil, 1998
et « Points », n° P826

Manuel de peinture et de calligraphie
Seuil, 2000
et « Points », n° P968

Le Conte de l'île inconnue
Seuil Jeunesse, 2001
et livre-audio, Alexandre Stanké, 2007

La Caverne
Seuil, 2002
et « Points », n° P1117

Pérégrinations portugaises
Seuil, 2003

L'Autre comme moi
Seuil, 2005
et « Points », n° P1554

La Lucidité
Seuil, 2006
et « Points », n° P1807

En accord avec l'auteur, Greenpeace et les Éditions du Seuil,
cet ouvrage a été imprimé sur papier bouffant certifié FSC

FSC

Sources Mixtes
Groupe de produits issu de forêts
bien gérées, de sources contrôlées
et de bois ou fibres recyclés.

Cert no. EUR-COC-051002
www.fsc.org
© 1996 Forest Stewardship Council

RÉALISATION : I.G.S.-CP À L'ISLE-D'ESPAGNAC
IMPRESSION : S.N. FIRMIN-DIDOT AU MESNIL-SUR-L'ESTRÉE
DÉPÔT LÉGAL : JANVIER 2008. N° 86399-2 (88652)
IMPRIMÉ EN FRANCE